台湾の
すこやかで
福のある暮らし
365日

古からの知恵と祈りに囲まれた

慈愛あふれる生活

コバシ イケ子
IKEKO KOBASHI

JIYUKOKUMINSYA

前言
はじめに

こんにちは。@taiwanikeko ことコバシイケ子です。台湾に暮らし始めたことをきっかけにブログをはじめ、現在は「otona taiwan オトナタイワン」という台湾 WEB マガジンも運営しています。

2011 年、はじめての海外ひとり旅で台湾を訪れ、すぐさま魅了されました。以来ずっと頭の中は台湾のことでいっぱいです。それなのに「どうして台湾が好きなの？」と聞かれると、いまだ返答に困る自分がいます。美食や文化、台湾人の優しさなど、その都度、頭に思い浮ぶそれらのことを答えますが、日々新しい魅力を知り、進化し続ける台湾を見つめていると、とてもではありませんがひとつには絞りきれません。

この本を執筆しながら気づいたことは、ここに書いた一日一日がその答えだということ。台湾らしさを感じる文化や風習のほか、台湾の居心地のよさや、心が軽やかになる理由。一方で、台湾を知れば知るほど、複雑な気持ちになることもあり、それはなぜなのか。あくまで個人的な視点で綴った 365 日ですが、旅だけでは見つけられなかった、暮らしを通して出会った台湾を歳時記のようにお伝えできたらと書き上げました。

4 月はじまりの日めくりカレンダーのような本です。なんとなくひらいたページや気になる写真など、どこからでも自由にお楽しみください。関連するテーマは →125/365 というように表記しています。

すこやかで、いつもあたたかな笑顔がそこにある、距離も心も近い台湾。この本を通して、台湾をより身近に感じ、台湾の日常に興味がある方や、旅する方のお役にも立てたら幸いです。

2023 年 12 月

コバシイケ子

4月1日

挨拶はハロー&バイバイ

はじめてひとりで台湾を訪れた時、知っていた言葉は「你好(ニーハオ)」と「謝謝(シェイシェイ)」、そして数字の1～5のみ。2泊3日の旅は笑顔とこの言葉さえあれば、台湾人の懐の深さや、観光地での日本語の通じやすさ、後は漢字の国ということもあり、思った以上になんとかなり、小さな自信がつきました。国内旅行と同じくらいの予算で行けた台湾は食、気候、人、とにかく魅力がありすぎて、「暮らしてみたい」という願いを叶えるところまで辿り着きました。

生活して気づいたささいなことのひとつが挨拶で、友人に限らず、お店でもどこでも你好と再見(ザイジェン)よりも、ハローとバイバイとかなりカジュアル。店員さんに声をかける時も「ハロ～」や「ハイ！」で大丈夫。退店時やタクシーを降りる時にも「謝謝、バイバ～イ！」とこんな調子。台湾にいると気持ちがラクになるのは、こういう日常に堅苦しさがないところなのかもしれません。

4月2日

花粉に振り回されない快適さ

大人になってから発症した花粉症。最初は秋だけでしたが、いつの間にか春もぐずぐず。本当に憂鬱です。でも、台湾では花粉症に悩んでいるという話はあまり聞いたことがありません。山ではヒノキを栽培しているので、ヒノキに反応する人は影響があるかもしれませんが、スギ花粉は飛んでいないとのこと。日本で発症していた人も台湾では治まっているのはよく聞く話です。台湾には多くの日本人が暮らしていますが、特に台湾が気に入り永住している人の中には「花粉症が辛いから日本での生活はもう無理かも……」なんていう声も。

4月の台湾は気候も穏やかで、まだそこまで暑くもない。束の間の春を味わえる気持ちのいい季節です。花粉のタイミングで台湾を訪れ、清々しさとリフレッシュを味わうというのも、この時期におすすめしたい台湾旅のプランです。

4月3日

台湾の二十四節気

太陽の動きを基に、古代中国で考案された二十四節気。春・夏・秋・冬をそれぞれ6つに分け季節の指標としたものです。

- ◆ **春**：立春、雨水、驚蟄、春分、清明、穀雨
- ◆ **夏**：立夏、小滿、芒種、夏至、小暑、大暑
- ◆ **秋**：立秋、處暑、白露、秋分、寒露、霜降
- ◆ **冬**：立冬、小雪、大雪、冬至、小寒、大寒

「二至二分」の春分・夏至・秋分・冬至、「四立」の立春・立夏・立秋・立冬などは日本でも馴染みがありますが、台湾でも二十四節気はほとんどのカレンダーやスケジュール帳に記載されていて、例えば冬至には湯圓（タンユエン）と呼ばれるお団子を食べるなど、食に関する風習もあります。四季はほぼないように感じる台湾ですが、当てはまると思うことは大いにあり、旬の農作物などを知る目安にもされています。

4月4日

キッズフレンドリーな国

毎年4月4日は子どもの日「兒童節（アールトンジエ）」。台湾では2011年から祝日となりました。旧暦5月5日にお祝いされる「端午節（ドゥァンウージエ）」とはまた別で、「世界こどもの日」に基づき、子どもの権利を尊重し、成長を祝うことなどを目的にした記念日です。

子どもたちにとって、この日はプレゼントをもらえるワクワクの日。遊園地や貓空（マオコン）ロープウェイ、博物館や美術館など多くの施設が無料または割引価格で利用することができます。台湾を子連れで旅行したことがある人や台湾で実際に子育てをしている日本人から「台湾はとても子どもに優しい国」という言葉をよく耳にします。誰もが微笑ましく子どもたちを眺め、困ったことがあればすぐに手助け。子どもたちが楽しめる施設が充実しているほか、飲食店も子連れ可のところがほとんどです。

4月5日

台湾のゴールデンウィーク清明節（チンミンジエ）

兒童節の４月４日前後は二十四節気「清明（チンミン）」。毎年３～４連休となる春節後初の大型連休で、台湾人にとって大切な行事の「清明節」です。「掃墓節（サオムージエ）」とも呼ばれ、この日は家族が集まり、親族全員でお墓参りをするのが習わし。「潤餅捲（ルンビンジュエン）」という薄い小麦の皮で包んだ具沢山の春巻きをいただくのですが、この日は火を使ってはいけないというしきたりがあるため、具材は前日に調理しておきます。

旅行の際に気をつけたいのは、地元を離れている人たちも墓参りのため一斉に帰省するため、特にこの連休の新幹線や鉄道などは満席が多く、高速道路なども渋滞します。どの家庭も帰省することが普通のことなので、台湾中が大移動。交通チケットはあらかじめ押さえておき、時間にゆとりを持った行動がベストです。

便利な台北MRTとICカード

とにかく便利な台北のMRT。捷運(ジエユン)とも言われます。台北市と隣の新北市を繋ぎ、文湖線、淡水信義線、松山新店線、中和新蘆線、板南線、そして2020年2月に新たに環状線が開通し、現在6路線が運行中。運賃は20～65元と起点から終点まで乗車しても約300円。公共交通機関の料金が安いというのも台湾の魅力。これなら気軽に出かけたくなりますよね。乗車の際に便利なのがICカードの悠遊卡(ヨウヨウカー)。日本の交通カードと同じチャージ式で台湾全土に対応。これ1枚でMRT以外にも、バス、鉄道、コンビニやスーパー、一部市場や夜市の精算にも使えます。カード型から進化し、近頃は3D型のものが大人気。お菓子やインスタント麺のミニチュアなど、遊び心もたっぷりでついコレクションしたくなります。コンビニでも購入可能でレジ前に陳列しています。

7 | 四月

4月7日

路地散歩と台湾の賃貸事情

治安の良さからも住みやすいと言われる台湾。だからといって気を緩めていいわけではありませんが、日本で街歩きしている時と同じような感覚で歩けます。私は特に台湾の路地の雰囲気が好きで、日中、時間が許せば知らない道を冒険気分で歩くのも楽しみのひとつ。細い路地の両脇には同じような４～５階建てのアパートが続き、ここにはどんな暮らしがあるのだろうと思いを巡らせます。台湾では、一人暮らし用の物件は少なく、ほとんどがファミリー向け。シェアハウスもしくは単身用に部屋を区切って貸し出していることが多く、その場合はワンルームにシャワーとトイレはあっても、キッチンはなしということがほとんど。窓なし物件というのも珍しくありません。ただ、ベッドや机、テレビなどの家具付きが一般的で、やりとりも大家さんと直接ということが多いので、契約すればすぐに生活がはじめられるというメリットもあります。

4月8日

エネルギッシュな伝統市場

朝市といえばガイドブックによく掲載されている台北の雙連（シュアンリェン）朝市がお馴染みですが、街の至るところに朝の市場は立っています。活気に溢れ、太陽をたっぷり浴びて育った野菜やフルーツは色鮮やかで見ているだけで元気に。市場のいいところは少量でも買い物ができること。暮らしはじめの頃は言葉の問題もあり、スーパーで買い物をしていましたが、どうも鮮度がいまひとつで量も多すぎる。ある日勇気を出し市場で買い物をしてみると、新鮮な食材を欲しい分だけ買うことができ、プラゴミも減る。大げさかもしれませんが、それだけで世界が広がりました。お店の人とコミュニケーションが取れるようになると、食材のことなども教えてもらえ、知識も増やせる場所に。月曜休みのところが多く、昼には閉まってしまうため、週末は早めに起きて市場に出かけるのがルーティンです。

9 | 四月

4月9日

台湾華語とボポモフォ

これまで日本で中国語を学ぶ場合は、中国大陸の標準語である北京語を簡体字で学ぶというのが一般的でした。台湾では同じ中国語でも「台湾華語」と呼ばれるもので、漢字は繁体字。北京語とは一部の単語や発音が違うことがあります。また、北京語を学習する時には「ピンイン」という、アルファベットに発音記号がついたもので、漢字の読みと発音を学ぶのに対し、台湾では「ボポモフォ（注音符號（チューインフーハオ））」という全部で37文字からなる、日本語の「あいうえお」のような文字で、子どもの頃から読み書きの勉強をします。「ボポモフォ」とは最初の4文字「ㄅㄆㄇㄈ（ボ・ポ・モ・フォ）」の発音から。台湾華語はボポモフォで覚えた方がより台湾人の発音に近くなるとも言われていて、私もチャレンジしてみたのですが、ピンイン学習者だったこともあり、固くなった頭で新しいことを覚えるのはなかなか難しく……。長い目で見ています。

10 ｜四月

10
/
365

4月10日

街で見かける柔らかなグリーン

台湾の色をイメージした時に思い描く色はなんでしょう？　台湾国旗や九份 →46,47/365 の夜景に浮かぶ提灯、お正月飾りの春聯（チュンリェン）など、やはり「赤」でしょうか。私はそれに加えて、ミントグリーンのような柔らかなグリーンが台湾にいると目に入ってきて、いつからか気になる色になりました。昔ながらの家の扉や窓枠にペイントされたミントグリーンやエメラルドグリーン、そこに貼られた春聯の赤とのコントラストがとても好きで、思わずシャッターを押したくなる光景です。

それから、あちこちの家庭や食堂、コンビニなどでも目にする国民的家電「大同電鍋」→86/365 のレトログリーンや、台湾ではお守りとして身につけている人も多い翡翠もそういえば柔らかなグリーン。ふんわりとそこにあり、見ているとなんだかほっとする色です。

4月11日

便利なシェアサイクルYouBike

YouBikeは公共のシェアサイクル。都市にはほぼ設置されているので、日常生活はもちろん、旅先でもとても便利な足となります。会員登録したICカードの悠遊卡（ヨウヨウカー）→6/365または専用アプリから気軽に借りることができ、料金は4時間以内であれば、30分10元とかなり格安。Googleマップでも“YouBike”と検索すれば設置場所が出てくるので、返却先が見つけられないという心配もありません。自転車は台湾が誇る世界的自転車ブランド「GIANT」。3段変速付きで快適です。頻繁にメンテナンスされていますが、不具合があれば返却時にサドルを反対にしておくのが目印。特に台北市であれば自転車専用レーンやサイクリングロード→358/365が充実しているので、あえて自転車に乗ることも増えました。街を眺めながらのサイクリングは、私にとってただの移動ではなく、趣味のひとつです。

4月12日

迪化街(ディーホアジエ)・大稲埕(ダーダオチェン)で味わう台湾らしさ

西洋風バロック建築の建物と、乾物や漢方の問屋がずらりと並ぶ迪化街は非常に味わいのあるエリア。淡水河が流れる埠頭もあることから、かつて貿易で栄えた街。エリア一帯は大稲埕と呼ばれています。近頃は老舗の2代目・3代目がブランディングを行い、伝統を大切にしながら新たな文化を生み出そうと奮闘しているなど、ここには思い描いている「台湾らしさ」と新旧ミックスの面白さがあります。MRT大橋頭駅、北門駅のどちらからもアクセスが可能ですが、私のお気に入りのコースは大橋頭駅からスタートし、「高建桶店(ガオジェントンディェン)」で大きめのカゴバッグをまず購入。ショッピングしたものをそれにどんどん入れながら、「夏樹甜品(シァシュテェンピン)」で杏仁かき氷を食べ→161/365、お腹が空いたら永樂市場周辺の屋台か食堂で軽くごはん。途中、縁結びの神様、月下老人→55/365 のいる「霞海城隍廟(シァハイチェンホァンミャオ)」では、台湾との縁が続きますようにと毎回手を合わせています。

13 | 四月

4月13日

気分に合わせて夜市を選ぶ

はじめての夜市の感想は、まるで日本の縁日そのもの。これが連日開催されているというのだから驚きました。観光夜市と呼ばれる巨大な士林（シーリン）夜市や松山にある饒河街（ラオフージエ）夜市へは近くまで行ったときや、日本から友人が来た時に派手さや活気など、雰囲気が一番味わえるので訪れます。ガイドブックの定番グルメやチープな雑貨、日本語も微妙に通じる楽しさや、ギラギラと深夜まで元気な様子はやはり思い出に残ります。逆にそこから離れると、観光客の姿はあまり見かけません。景美（ジンメイ）夜市や樂華（ルーホア）夜市、学生街の師大（シーダー）夜市などは通りかかることも多かったのでよく立ち寄りぶらつきました。グルメの名店も多く、そこで食事を済ませることもあれば、はしごしてデザートまで食べることも。ローカルなアジアらしさを味わいながら、ぼんやりと同じ空間で食事している人や道行く人に思いを巡らせる時間が好きなのです。

4月14日

食後に食べたいスイーツ「豆花(ドウホア)」

台湾でいいなぁと思うのは、豆花屋さんやローカルなかき氷屋さんなどへ行くと、おじさんや、若い男の子たちが食後のデザートをつついている場面に出くわすこと。なんだかその光景が妙にほっとするのです。深夜まで営業しているところも多く、特に寧夏(ニンシァ)夜市の近くにある「豆花荘(ドウホアヂュァン)」はイートインスペースのある2階に上ると、確実にそんな光景に出会えるお気に入り。「豆花」は豆乳を固めただけの地味系スイーツ。豆花自体には甘みもなく、まるでお豆腐。伝統的なものは赤砂糖で作ったシロップをたっぷりかけ、そこに小豆や白玉などをお好みで3～4種類トッピングします。どんぶりサイズで300円くらいとリーズナブルな上に、ハトムギや緑豆など薬膳的なトッピングも多いので、選び方によってはとてもヘルシー。罪悪感なく食べられるおやつです。

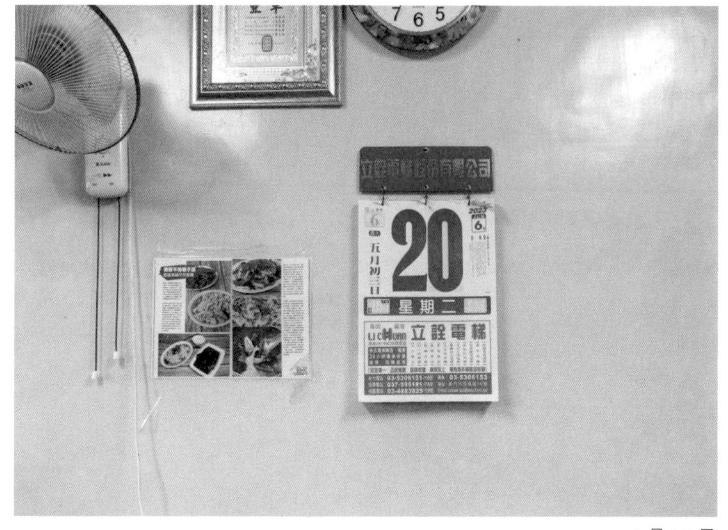

4月15日

旧暦が毎年変わる理由

日本で暮らしていると、旧暦（農暦）を意識するのは旧正月くらいでしょうか。春節と呼ばれ、中華圏の観光客が増えるので、特にサービス業においては非常に重要なビジネスチャンスです。台湾でも伝統行事などは旧暦で行うことが多いのですが、いつも不思議だったのが旧正月は1月だったり2月だったりとその年によって日付が変わること。日本で使われているのは太陽の動きを基に作られた「太陽暦」で1年は365日ですが、旧暦は月の満ち欠けをベースとし、新月の日を1日とする「太陰太陽暦」の考えを用いています。「太陰太陽暦」では、月の平均は約29.5日で1年は約354日となり、太陽暦と11日の差が生じます。このズレが年を追うごとに大きくなるため、ズレがひと月分になると旧暦では「閏月」を作り、その年は13カ月となるのです。閏月があるのは約3年に1度、月は都度変わります。

※旧暦は最後のページ記載の「旧暦対応サイト」にて御確認いただけます。

16 | 四月

4月16日

ひとりごはんのしやすさ

レストランや火鍋、居酒屋のような熱炒（ルーチャオ）→150/365 などのお店では1皿当たりの量も多く、人数がいたほうが色々な種類が食べられますが、台湾の外食の選択肢はそれだけではありません。食堂やカフェにフードコート、夜市に深夜の夜食店、ファストフードも至るところにあり、食のバリエーションが本当に豊か。特にこれらのお店ではひとりで食事をしている人も多く、ひとりごはんが気兼ねなくできる環境です。食堂では伝票に数量を記載して店員さんに渡すというシステムのお店が多いので、テーブルでゆっくり食べたいものを選べます。台湾では人気メニューのひとつに火鍋があるのですが、年中賑わうひとり鍋専門店が多いのも特徴かもしれません。好きなスープを選び、肉と野菜の盛り合わせ、米または麺などが基本セット。しゃぶしゃぶなどもあり、ヘルシーに野菜不足を解消できるので、とてもありがたい存在です。

17 | 四月

4月17日

誰もが持っているイングリッシュネーム

台湾人は誰もがイングリッシュネームを持っているというのは知っていましたが、実際にはじめて長期滞在したホステルで、自己紹介してくれたスタッフのみんなが、ウェンディ、マーク、デイビッドなどと名乗ってくれた時、理解はしていたけれど、軽い衝撃と文化の違いを感じました。仲良くなってから、中国語名も聞いてみましたが、一度で聞きとれない上に、それはそれで覚えづらい。確かに英語名の方がこちらも助かるなと思った記憶があります。そもそも、台湾人は林さんや陳さんなど、同じ名字の人が圧倒的に多く、小学生の頃から英語の授業があるので、その時に英語名をつけるそう。そのまま使い続ける人もいれば、途中で好きな名前に変更する人もいるなど、そのあたりは自由なようです。イングリッシュネームは名刺やネームプレートにも記載し、オフィシャルな場でも使用しています。

4月18日

台北101と風水

台北のシンボル「台北101」。高級ホテルや百貨店、大型商業施設が立ち並ぶ台北経済の中心地、信義エリアにある地上509.2mの建物です。台湾人に台湾で風水的に有名な建物は？と聞くとやはり真っ先に挙がるのは台北101。デザインすべてに意味があり、タワーの外観のモチーフは「竹」。中央の円は縁起物の「中国小銭」です。竹の節は中華圏では縁起のいい数字とされる「8」階ごとに区切られ、断層ごとに金庫の鍵「如意」の装飾が施されています。それぞれに上昇、吉祥、発財などの意味を持ち、立地や気の流れなども計算されているまさにパワースポット。夜のライトアップは曜日ごとに色が変わり、メッセージが表示されることも。12月31日の大晦日にはカウントダウンとともに、ビルから盛大に花火が上がるのが毎年の恒例行事→275/365です。

4月19日

予約者しか入れない101のオフィスビル

台北101は地下5階、地上101階建てのビル。展望台は88～91階で、91階は屋外展望台になっているので、天気のいい日はなんと外から台北の街を一望することができます。展望台に上るのももちろん楽しいのですが、ビル内にあるカフェやレストランを利用するのもかなりおすすめ。台北101は本来オフィスビルなので、入口にセキュリティゲートがあり、展望台以外のエリアに一般客は入ることができません（展望台へは隣のショッピングビルから行けるようになっています）。ですが、館内にあるいくつかのレストランやエステ、カフェなどは予約をすれば入館が可能。85階と86階にはラグジュアリーなレストランがあり、美味しい食事を楽しみながら、展望台と同じような景色を堪能することができます。夜景も最高に綺麗なので、特別感のある時間が過ごせます。

20 | 四月

20
/
365

4月20日

本格的な夏が来る前に

4月20日頃は二十四節気の穀雨。農民は雨を待ちわびる時期と言われていますが、台湾では束の間の春を味わえる貴重なシーズン。テラスでのお茶や食事、ピクニックなどもこの時期は清々しい気分で楽しめます。5月に入ると梅雨になるので、湿度も気温も上昇、その後は真夏日が10月頃まで続きます。そうなると、圧倒的にクーラーの利いた室内で食事を楽しむ方が快適です。台北中山にある旧アメリカ領事館をリノベーションした「台北之家」やMRT民権西路駅近くにある「別所 Shelter」は雰囲気もよく、テラス席もあるお気に入りのカフェ。水辺のスポット淡水→342/365まで足を延ばすのもいいですね。また、この頃から旬の野菜やフルーツが夏らしさのあるものに変わっていきます。色濃くカラフルで市場に行くだけでワクワクしてしまいます。

21 四月

4月21日

シンプルな有名サンドイッチ

サンドイッチは「三明治（サンミンズ）」と呼ばれ、朝ごはんの定番です。さすが台湾と思うのはシンプルなものからボリュームサンドまでバラエティー豊か。美味しいと言われるものは色々試してきましたが、中でも一番インパクトがあったのが、洪瑞珍（ホンルイチェン）のサンドイッチ。ふわふわの食パンにサンドされているのはぺらぺらの薄焼き卵とハム。さらに具材の間にほんのり塗られているのは甘いホイップと甘いマヨネーズという不思議な組み合わせ。本当にこれが美味しいの？とさほど期待もせず、むしろ疑いながら食べてみるとしっかり味わいがあり、なんともクセになる美味しさ。甘さと塩気のバランスが絶妙で、どうやらこれが人々を虜にしているよう。店舗数も多い有名店ですが、台中中山路にあるお店のみ、パッケージが写真のようなレトロデザイン。やはりこれが買いたくて、台中へ行くと足を運びます。

4月22日

地球に対する環境政策

台湾の環境に対する取り組みは、日本よりも一歩進んでいるというのは感じます。コンビニやスーパーのレジ袋有料化は2002年から行われ、さらに購入した場合の有料袋はゴミ回収用の有料袋と兼用。使い回せるのでとても便利です。台湾といえば、ドリンクスタンドは生活に欠かせない存在。購入時、プラカップとストローをビニール袋に入れるというのがこれまでの定番スタイルでしたが、それらを環境保全政策で2030年までに廃止する方向で動いています。現在は袋の有料化、店内プラストローの廃止、2022年12月には、まずは台北でプラカップの使用が全面禁止となりました。合わせて、コンビニやドリンク店ではマイタンブラー持参で5元引きという取り組みを台湾全土でスタート。中身が映えるよう透明で、タピオカ用の太いストロー付きのお洒落タンブラーなどもすぐ販売され、そういう時のスピード感と適応力にはいつも感心させられます。

23 | 四月

4月23日

花市は週末だけのマーケット

大安森林公園→219/365近くで開催されている「建國假日花市（ジェングオジャリーホアシー）」は週末のみの花市。高架下で開催され、平日は駐車場になっている部分を利用しています。入口は2カ所あり、端から端まで約400 m。200店舗近くが出店しているので、かなりの見応えでまさに華やか。生花や鉢植え、多肉植物、園芸用品のほかにも、ちょっとした食べ物や茶器などのこまごまとした雑貨もあるので、そのあたりから掘り出し物を探すのもお楽しみ。切り花は3束100元、バラは20本で250元、そのほか台湾では胡蝶蘭が安く、小さなものだと100元ほど。かなり手頃な価格で購入できます。散歩がてら訪れ生花を買っていましたが、一番重宝したのが青シソの鉢植え。スーパーなどではあまり見かけないのに、なぜか鉢植えは売っていたのです。まさか台湾でシソを育てるとは思いませんでしたが、家で和食を作る時に大活躍でした。

24 | 四月

4月24日

外食文化と朝ごはん

台湾では街を歩けば至るところに飲食店があり、いつでも誰かが食事をしている気がします。一人暮らし用の物件などはキッチンがついていないところも多く、家庭でも共働きが多いので、日常的に外で買ったり食べたりするのは普通のこと。どの時間帯も食事のニーズがあるのです。朝食店では鉄板で焼いたトーストサンドやおかずクレープのような蛋餅（ダンピン）などが定番で、出勤前の人たちがスクーターのヘルメットを被ったままでき上がるのを待っているのもいつもの光景。お店の外にテーブルを出しているところも多く、平日は地元の高齢者、休日はファミリーやカップルがのんびりと食事をしています。食にこだわりが強い台湾人。賑わっているところは確実に美味しいので、そんなところもお店選びのポイントです。

25 | 四月

4月25日

路線バスを乗りこなす

台湾の路線バスに乗るのに把握しておきたいポイントは、①時刻表がない、②乗車したい時は手を上げる、③割と運転が荒い、とりあえずこの3つ。一部本数が少ないバスなどは始発の発車時刻は決まっていますが、どのバス停に行ってもあるのは路線図のみ。ちょっと不親切にも感じますが、台北市内であれば、ほとんどのバス停には電光掲示板があり、あと何分でバスが到着するかがわかるようになっています。利用者のほとんどは、到着時刻が把握できるバスアプリを活用し、夏の暑い日などは、コンビニでバスが来るまで待機しておくなど、みな上手に使いこなしています。

料金は2段式で15元または30元とわかりやすく格安。車内で両替はできないため、乗車時と下車時にタッチするだけでOKなICカード→ 6/365 があればより便利です。

4月26日

主要スポットを巡る2階建て観光バス

MRTが充実しているので比較的どこにでも簡単に行ける台北ですが、外の景色を楽しめるのがバスのいいところ。効率よく観光するなら台北の主要スポットを巡る「2階建て観光バス」もおすすめです。真っ赤なボディが目印で、車体はボルボ。乗務員が1名乗車し、優良ドライバーによる安全運転がモットーなので、路線バスのような荒い運転はまずありえません（路線バスもそうしてほしい……）。

2階席は前方10席が冷房ありで、後方37席がオープントップ。ルートは台北駅を起点に、龍山寺や台北101など市内中心部を走行するレッドラインと台北市立美術館や圓山大飯店を経由し、故宮博物院まで巡るブルーラインの2ルート。レッドラインは30～40分間隔で運行し、夜は台北101のライトアップなども見ものです。チケットは4時間、日中、24時間、48時間の4種類。日本語による音声ガイドもあり、乗り降りは自由。気ままに観光を楽しむことができます。

27 ｜四月

27 / 365

4月27日

一度は食べておきたい鼎泰豐(ディンタイフォン)

台湾を代表するレストラン「鼎泰豐」は言わずと知れた小籠包の名店。1958年創業で油問屋からのスタートでした。1972年に小籠包や麺・点心を販売する店へと経営転換。ニューヨークタイムズ紙の世界で最も特色ある10大レストランのひとつに選出され、その後も香港支店が2010年から5年連続ミシュランガイドで1つ星に輝くなど、世界的な有名店へと成長しました。小籠包は上海発祥のグルメですが、いまや台湾名物のようにもなっているのは鼎泰豐やそこから独立したお弟子さんたちの存在も大きいはず。

本店はMRT東門駅5番出口を出てすぐの場所にある信義店ですが、コロナ禍以降テイクアウト専門になっているため、店内で食べたい場合はすぐ近くにある新生店を利用します。皮5g、餡16g、ひだは18と決められた小籠包の美しさと口に運んだ時の繊細な口当たりは、何度食べても感動する職人技です。

4月28日

台湾花布とアレンジ雑貨

台湾らしいお土産として人気なのが鮮やかな台湾花布を使用した生活雑貨。客家花布とも呼ばれ、客家料理のお店などでもよく目にします。布雑貨のほか、茶器にプリントしたものなども可愛らしく、私も愛用しています。富の象徴とも言われる牡丹の花をメインに、四季折々の花が描かれ、ビビッドな赤や水色、ピンクなど地色によって様々な表情を見せてくれます。台湾ではその昔、布団カバーなどに使われていたことから、「おばあちゃんの布」というイメージがあるそうですが、ヨーロッパ、日本、中国と各国の影響を受けたとされるデザインはシノワズリな雰囲気もあり、外国人の私にとっては「可愛い」アイテムのひとつ。テーブルコーディネートに使うと台湾らしさが一気に出るので、長めの布を何色か揃えています。品揃えがいいのは迪化街の永樂市場にある布市場→125/365。手作り小物も販売しているので、お土産を購入したい時にも訪れます。

客家(はっか)料理と客家の街

はじめて客家料理を食べたのは台北の「晋江茶堂(ジンジャンチャタン)」。古い日本家屋を使用した建物で、客家の家庭料理を味わえる名店です。客家料理は塩漬けした保存食などを活かした料理が多いのが特徴で、濃いめではっきりとした味付けはごはんや台湾ビールとの相性も抜群。日本人好みとも言われています。スルメ、豚肉、干し豆腐を葱、赤唐辛子とともに醤油で炒めた「客家小炒(クージャーシャオチャオ)」やからし菜の塩漬けである梅干菜(メイガンツァイ)を豚肉とともに煮込んだ「梅干扣肉(メイガンコウロウ)」、ホルモンと生姜を酸味のある味付けで炒めた「薑絲大腸(ジャンスーダーチャン)」などは何度でも食べたくなる美味しさです。中国から台湾へ渡ってきた客家の人々が暮らす地域は台湾各地の山間部に多く、客家の街と呼ばれる場所はいくつもあります。観光スポットとしても人気の新竹北埔(シンチュウベイプー)→332/365や苗栗南庄(ミャオリーナンチュアン)などでは古い街並みが残る老街を散策しながら、客家の伝統や食文化に触れることができます。

4月30日

北海岸線へお出かけ

この季節にしか見られない風景として、お出かけスポットとしても人気なのが新北市石門区にある「老梅綠石槽（ラオメイリュシーツァオ）」。台湾の最北、北海岸と呼ばれるエリアにあります。緑の藻に覆われた不思議な形をした岩はCNNによって台湾8大秘境にも選ばれ、毎年4～5月頃が見頃。それ以降になると藻が茶色くなってしまうのです。

公共交通機関であれば、淡水からバスで約1時間。近郊にある富基（フージー）漁港には海鮮レストランが立ち並んでいるので、あわせて新鮮な魚介類を味わうのも定番コース。ほとんどが大皿料理なので、人数が少ないと色々食べられないのが残念なところですが、海岸沿いには海の見えるお洒落なカフェなども点在しているので、ひとり旅や軽くお茶でもという場合には、そこでのんびり寛ぐのもいいリフレッシュになりますよ。

1 ｜五月

5月1日

労働者の日とメーデーのデモ

世界各地で労働者の祭典が行われるメーデーですが、台湾でも「勞動節（ラオドンジェ）」という祝日で、一般労働者のみが休日。公務員と学生たちは休みではないため、学校などの授業は普通に行われています。国民の休日扱いではないため、ちょっと不思議な気もしますが、お子さんがいて共働きの家庭などは夫婦水入らずの時間を過ごすなど、少しだけご褒美的な休日のようです。

また、この日は例年なにかしらの労働条件などに関するデモが行われており、総統府周辺は交通規制や渋滞などが発生する可能性も。近年では台湾鉄道がストライキを起こし、わずかな本数しか列車が運行されなかったなどということもありました。事前に告知はされますが、日本のGWで観光客も多い時期。ちょっと注意も必要です。

5月2日

期待の新航空会社・スターラックス航空

海外へ出かける際にはどの航空会社を選ぶかというのも楽しみのひとつですが、ここ数年、旅好きの間で話題に上るのが2018年に新しく設立された台湾の航空会社、スターラックス航空です。フルサービスキャリアで中国語名は星宇航空（シンユーハンコン）。パイロットの資格を持つ創業者の張國煒（チャングォウェイ）氏がエアバスA321neoの初号機をドイツの工場から台湾桃園国際空港まで操縦してきたニュースは大きな話題になりました。アースカラーを取り入れたコーポレートカラーや、自宅の心地良さをデザインしたという機内は温もりと上品さがあり、まさにほっと寛げる空間。機内食も美味しく、一部路線では台湾の有名バーとコラボレーションしたオリジナルのカクテルをエコノミーでもいただけます。ノンアルコールカクテルや台南のコーヒーショップとコラボしたオリジナルのコーヒーなども用意され、空の上でもワンランク上の台湾らしさを味わうことができるのです。

5月3日

マンゴーのベストシーズン到来

この季節楽しみなのは夏のフルーツがどんどん店頭に並びはじめてくること。そう、待ちに待ったマンゴー（芒果《マングォ》）シーズンの到来です。トップバッターは小ぶりで緑色をした「土芒果」、次に砂糖漬けなどにするとても大きな「芒果青」、その次あたりに、オレンジと赤のグラデーションが美しい、台湾が誇る名産品「愛文芒果（アップルマンゴー）」が満を持して登場します。例年、天候などで収穫量が左右されるため、マンゴーやライチなど人気のフルーツは「今年の値段は……」と各々チェックが入るのもお約束。出はじめはまだ高いものの、それでも日本に比べると断然リーズナブル。愛文のほかにも「金煌」、「黒香」、「夏雪」、フルーツの名前がついた「水蜜桃芒果」、「枇杷芒果」など、品種改良により種類はどんどん増えています。市場や青果店などでは１つから購入できるので、贅沢な食べ比べも台湾だからこそできるお楽しみです。

5月4日

台湾の祝日・休日と連休システム

台湾の祝日は毎年5月または6月に、最高行政機関である行政院によって決定が行われ、公的機関の出勤日と休祝日が年間カレンダーとして発表されます。特に、旧暦に基づいてお祝いする春節（旧正月）の日程は毎年変わるため、発表されると「今年の春節は○連休だ！」とちょっとした騒ぎに。2022年は9連休、2023年はもっと嬉しい10連休でしたが、いずれにしても超大型連休なことに変わりはありません。祝日が土日の場合には振替休日があり、祝日が土曜日の場合は前日の金曜日、日曜の場合には翌日月曜日に振り替えられます。また、これまでは大晦日・春節・児童節・民族掃墓節・端午節・中秋節が週の中日にあたる場合は、月曜または金曜日を休日として連休にし、代わりに別週の土曜日を振替出勤日としていましたが、連勤が多くなるため賛否両論。2024年より1回に減るなど、制度変更が行われました。

※年間カレンダーは最後のページ記載の「台湾の休日」にて御確認いただけます。

5 | 五月

35 / 365

5月5日

立夏の頃は梅雨と夏の到来

台湾にも端午節→83/365 がありますが、旧暦でお祝いするのでこの日は普通の日。ですが、新暦5月5日頃は二十四節気の立夏。日本より少し早い梅雨がそろそろはじまる季節です。どこかすっきりしない曇り空の日が多く、台北101を見上げると先の方はいつも霞んでいるし、気がつけばぽつりぽつりと雨が降りはじめるので、折り畳み傘は手放せません。5月も中旬を過ぎるといよいよ本格的な梅雨入りです。激しい土砂降りの日も多く、それが数日間続きます。青空が見える日も時折ありますが、そんな時にはSNSには喜びの声とともに青空の写真が続々投稿されるくらい雨にはうんざりさせられるのです。気温は25℃前後と過ごしやすくはありますが、20℃くらいまで下がる日もあり、そうなると途端に肌寒く。梅雨開けとともにいよいよ夏が到来しますが、まだ長袖は数枚残しておいてもいい時期です。

5月6日

お茶請け梅と梅仕事

台湾でも梅はよく見かける食材です。台湾中部の南投県などで栽培され、果実の成熟期は3～5月頃。梅干しこそありませんが、青梅を塩漬けにしたカリカリ梅の「脆梅（ツイメイ）」として味わったり、「話梅（ホアメイ）（紹興梅)」と呼ばれる干し梅として楽しんだり。干し梅はそのまま食べるのはもちろん、紹興酒に入れるのも定番の楽しみ方です。台湾茶のお茶請けの定番はお茶と一緒に漬け込んだ「茶梅（チャメイ）」。こちらもシソを一緒に漬けたものなど、お店によってバリエーションや味わいが違うので、お気に入りを見つける楽しみがあります。

またコロナ禍以降、台湾人もおうち時間が増え、その頃から流行りはじめたのが梅酒作り。聞くところによると、日本映画の『海街diary』がこのブームのきっかけなのだとか。この時期、市場に行くと大量の梅が売られているので、見ていると私も梅仕事がしたくなり、思わずそわそわしてしまいます。

7 ｜五月

37
/
365

5月7日

芯まで食べられる台湾パイナップル

日本への輸入量が増え、その美味しさを知る人は増えたように感じますが、台湾パイナップルの魅力のひとつは「芯まで食べられる」ということ。繊維が少なく、むしろ私は適度な歯ごたえのある芯の方が好きなくらい。舌がピリピリすることも台湾パイナップルでは感じたことはありません。台湾で購入するパイナップルは、どこで買っても甘くてジューシー。追熟するフルーツではないので、食べ頃を収穫するそうです。お店によっては「他殺」「自殺」と書かれた看板がパイナップルのところに置いてあり、一瞬ぎょっとしますが、「他殺」はお店で皮を剝いてもらうこと、「自殺」は自分で剝くことを意味します。そう書いていなくても、大抵はお願いするとカットしてくれるのですが、片手にパイナップルを持ちながら手際よくナイフで皮を削ぎ落とす様子はまさに職人技。思わず見入ってしまいます。

8 | 五月

38 / 365

5月8日

雨と太陽から守ってくれる騎樓（チーロウ）

台湾の都市部はどの街のどの駅で降りても商店街のようにお店が連なり、路地に入らない限り、その光景がどこまでも続きます。だからこそ賑やかで、夜も看板と店の灯りが爛々としているので、暗くて怖いなど不安な気持ちになることが少ないように感じます。

建物もまた特徴的で、2階以上の部分がせり出し、1階店舗前はアーケードのようになっていて、そこが歩道となるのです。そのスペースのことを「騎樓」と呼び、どんな天候でも、騎樓を歩いていれば雨や強い日差しから身を守ることができるのでとても合理的。でも、郊外や地方に行くと店舗毎の段差が多く、車やスクーター、テーブルなどで塞がれるなど自由度が高め。結局車道を歩く羽目になってしまいます。そういうところに限って交通マナーもよくないので、やみくもに危険度が高くなり、塞がれた騎樓を見るたび、どうにかならないものかと思ってしまいます。

5月9日

台湾のゴミ収集車

「エリーゼのために」、もしくは「乙女の祈り」の音楽を鳴らしながらゴミ収集車がやってくると、各家庭のゴミを手に人々が集まってきます。そして、自分で収集車へゴミを投げ込む。公共のゴミ置き場はないので、これが台湾の一般的なごみ捨ての様子です。

台北市の場合は水・日が回収なしの日で、指定のゴミ袋も必要です。地域によって回収時間は様々で、過去に住んでいたところでは午後2時と夜7時の1日2回。日中学校に行き、居残り勉強や寄り道などしていると、ゴミが捨てられないので、ゴミ捨てのために急いで帰宅なんていうことも。見ている分には面白い文化と思っていましたが、実際にやるとなると本当に面倒……。ゴミも一般ゴミ、資源ゴミ、生ゴミに分類され、生ゴミは豚の餌または堆肥へと利用されます。マンションなどは住民専用のゴミ捨て場などがある場合も多いので、家探しの時には、ゴミ捨て場の有無も大事なチェック項目です。

5月10日

台湾に惚れ込んだのは素敵なカフェが多いから

昔から私の趣味といえばカフェ巡り。地元はもちろん、旅先でも必ず素敵なカフェを探して訪れていました。台湾はお茶のイメージでしたが、カフェの数もとにかく多い。しかも、いつかこんなカフェをやってみたいと思うような、小さくて穏やかな雰囲気の個人店が路地のあちらこちらに点在していて、台北以外のどの街に出かけても、必ず心惹かれるカフェがあることはとてもワクワクする発見でした。地方のローカルなお店でもエスプレッソマシンを設置して、ラテアートなどもお手のもの。みんなどこで修業したの？と思うくらいにラテの種類もメニュー数も豊富で、フードのレベルはまちまちですが、それでも美味しいケーキや焼き菓子を出してくれるところがどんどん増えてきています。台湾はお店の入れ替わりが激しいので、好きだったカフェがなくなってしまう経験はもう何度もしているのですが、そこだけが少し切ないところです。

11 | 五月

41 / 365

5月11日

量り売りの単位は「斤（ジン）」

迪化街などの乾物屋さんや市場で買い物する時、量り売りの単位となるのは「斤」。1斤＝600gです。フルーツなどは○個で○元のような表示も見かけますが、1斤○元と書いてある方が一般的。値段を特に意識するのはマンゴーとライチ。出はじめと旬の盛りではだいぶ価格が違うので、注目しながら追っていくと大体の相場がわかってくるようになります。乾物などはあまり買う機会はないのですが、旧正月が近づくとはじまる年貨大街→308/365では様々なナッツやお菓子の量り売りがあるので、それを買うのを楽しみにしています。ただ、600gは結構な量。そんな時には半分の「半斤（バンジン）」で売ってくれないかと交渉してみます。市場などではこのくらいの量が欲しいのだけれど……と手で大きさを表し売ってもらうことも。はじめて上手に買い物できた時はとても嬉しかった思い出です。

5月12日

台湾で人気の女神「媽祖（マーズー）」

旧暦3月23日は航海・漁業の守護女神として台湾で多くの人から愛されている「媽祖（天上聖母）」の誕生日。実在した人物で、自身の霊力により多くの人を救ったとされています。どの廟（びょう）にも媽祖像は必ずといっていいほど鎮座していて母なる偉大さを思わせます。私も旅の安全などを祈願し何度となく手を合わせました。誕生日には台湾各地の廟で盛大にお祝いをし、特に台湾中部で行われる「大甲（ダージャ）媽祖巡礼」と「白沙屯（バイシャトゥン）媽祖巡礼」は、媽祖をのせたお神輿が350～400㎞もの距離を9日間かけて延々と練り歩くことで有名。巡礼日やルートは旧暦1月15日の元宵節→330/365に媽祖にお伺いを立てて決定するため、毎年変わるのも特徴です。YouTubeではライブ中継が行われ、沿道などに駆け付けた多くの信者たちからは「媽祖我愛你（マーズーウォアイニー）！」という声が聞こえてくるなど、国民の媽祖愛がひしひしと伝わってくる大イベントです。

5月13日

安く便利なタクシーとUber

台湾のタクシー「計程車（ジーチャンチャー）」の車体は鮮やかな黄色。通称「小黄（シャオホァン）」とも呼ばれています。都市部では流しのタクシーも多く、初乗りが85元（1.25km・深夜は20元割り増し）と比較的安いため、観光でも利用しやすく、日常生活においても荷物が多い時や雨の日、遅くなった時の帰り道など気軽に利用しています。ただし運転が荒いことも多いため、なるべく大手タクシー会社の「台灣大車隊」や「大都會」などを選び、車体にキズやへこみが目立つなど、どこか印象が悪いと感じた時には乗らないよう意識しています。配車アプリサービスのUberもかなり浸透していて、一時期は政府と揉め撤退するということもありましたが、現在はタクシーと上手く共存。タイムリーな評価もあるので、サービスも悪くなく、ドライバーとのコミュニケーションはほぼ不要。配車もラクで、目的地までスマートに行けるため、近頃はUberを利用することも増えています。

5月14日

レストランの予約が取れない母の日

台湾でも５月の第２日曜日は母親節（ムーチンジエ）、母の日です。台湾では宗教観や学校教育で子どもの頃から親孝行の大切さを学んでいることもあり、親は絶対という考え方や、家族愛や絆は日本よりも強いように感じます。中でも母親への愛を直接伝える母の日は大イベント。台湾スターのSNSでは母親とぴったり寄り添ったり、ハグしている写真が投稿され、特に男性タレントの場合は恋人並みの２ショット。そんな距離の近さにはじめは驚きましたが、台湾人の家族や恋人とのスキンシップの取り方はどちらかというと欧米寄りなのかもと思うことがよくあります。当日は家族が集まり豪華な食事をすることが多いので、年間イベントの中でも母の日はレストランの予約が取れない日というのは有名です。食事のほかにはプレゼントとケーキとカードを用意するなど、イメージとしては誕生日。そのくらい盛大にお祝いする光景が見られます。

5月15日

子どもの成長をお祝いするための文化と風習

子どもの成長をお祝いする文化・風習は台湾にもいくつかあります。まず生まれて1カ月に行われるのが「満月（マンユエ）」。男の子の場合はもち米のおこわ「油飯（ヨウファン）」、女の子の場合はケーキを親戚や友人、同僚などに贈ります。油飯は赤く色づけしたゆで卵と鶏もも肉のセットが主流で、赤い縁起のいい箱に入っています。4カ月には「食べ物に困らず健やかに育つように」という願いを込め「收涎（ショウシェン）」を行います。台湾語でシューノアと言い、首輪のように繋げたクッキーを赤ちゃんの首に下げ、お祝いする人たちが赤ちゃんのよだれをぬぐう仕草をしたのち、そのクッキーを割って食べ、成長を祝います。近頃はこのクッキーをアイシングクッキーにするのが主流で可愛らしいものばかり。そして1歳の誕生日には、掴んだ道具で将来の職業を占う儀式「抓周（ヂュアヂョウ）」が行われます。この時には魔除けと平安の意味を持つ、虎の帽子と中華風の衣装を身に着けるのが伝統です。

5月16日

九份（ジゥフェン）① 茶芸館で過ごす非日常の時間

赤い提灯がともり、夜は映画の世界のように幻想的な九份。そんな夜の印象が強くありますが、日中も数ある茶芸館やレストランから近隣の港や海が見渡せるので、景色とお茶を楽しみながらゆったり過ごすひと時もいいものです。有名観光地なので、ピーク時には歩くのも大変なくらいの人ごみとなり、それを経験したことがある人などは、行くまではどこか足が重かったりするのですが、台北からバスや電車で約1時間半。山道をどんどん上り辿り着いた先には非日常的な光景が広がり、茶芸館に一歩足を踏み入れると、明らかに違う時間が流れます。そして綺麗な夕焼けが眺められた日などはやっぱり来てよかったと最後には感じてしまうのです。

台湾茶はお湯を注ぎ足し、6～8煎ほど飲めるので、味の変化を楽しみながら、のんびり過ごすことができます。茶葉代と1人100元ほどのお湯代が必要で、余った茶葉は持ち帰ることができます。

17 | 五月

5月17日

九份(ジウフェン)② おすすめルート

九份らしい景色といえば、大きなお屋敷のような木造建築にいくつもの赤い提灯がぶら下がっている「阿妹茶樓(アーメイチャロウ)」のある風景。豎崎路(シュチールー)という長い階段坂の途中にあり、狭くて急な坂なこともあり、できれば上りたくないというのが本音。坂の下には「九份派出所」というバス停がありますが、こちらは帰る時だけ使いましょう。地図で見るとこちらの方が近いため、行きの際もついここで下車してしまいそうになるのですが、その先のバス停「九份老街(ジウフェンラオジエ)」で下車するのがポイントです。そこを起点に、色々なお店が連なる老街を散策しながら道なりに歩いて行くと、豎崎路に辿り着くので、あとは階段を下るのみ。余計な体力を使わずに歩けます。それから九份は雨が多いことでも有名。天気が怪しい時は、折り畳み傘やレインコートなどの雨具を持って行った方が賢明です。

5月18日

國立故宮博物院が無料になる日

歴史的価値のある美術品が数多く展示される國立故宮博物院。収蔵品は日中戦争をきっかけに戦火を避けるため北京から持ち出されていたもので、日本敗戦後、蔣介石率いる国民党軍により台湾に運び込まれた宋・元・明・清時代の宮廷所蔵品です。1965年に開院し、台湾の観光スポットとして必ず名前が上がる場所。翡翠の自然な色を活かし彫られた「翠玉白菜（ツイユーバイツァイ）」や、どうみても角煮にしか見えない「肉形石（ロウシンシー）」が人気のお宝で、白菜も角煮も想像していたよりもかなり小さく、なんとも可愛らしいのです。ミュージアムショップではそんな翠玉白菜グッズが数多く販売しているのですが、一度実物を見ると妙に欲しくなる不思議な魅力を持っています。

入館料は350元。毎年、元日（1月1日）、元宵節（旧暦1月15日）、国際博物館の日（5月18日）、世界観光の日（9月27日）、国慶節（10月10日）は一般開放日。無料で見学ができます。

5月19日

至れり尽くせりな月子中心（ユエズチョンシン）

台湾には「坐月子（ヅオユエズ）」という、産後しっかり身体を休めることを大切にする文化があります。それにより、身体の回復を図るとともに、更年期に訪れる体の不調も少なくなると考えられているのです。一般的には出産後3日ほどで退院し、月子中心という産後ケアセンターへ。2週間から1カ月ほど、看護師さんたちのケアを24時間体制で受けながら滞在します。食事には、出産後の女性にいいと言われる薬膳スープ「麻油鶏（マーヨージー）」や、お乳の出がよくなる「發奶茶（ファーナイチャ）」などの薬膳茶が毎食出されます。部屋は個室でホテルのようなところも多く、産後ヨガやベビーフォトなどのサービスを行っているところも。日本と台湾、両方で出産を経験した友人は夜もぐっすり眠れることや、不安があってもプロがすぐ傍にいてくれる安心感など、この月子のシステムに感動し、日本にもこの考え方や素晴らしさを広げられたらと話してくれました。

20 | 五月

50 / 365

5月20日

我愛你（ウォーアイニー）の日

年2回のバレンタインデー→144、321/365に加え、5月20日は中華圏では愛にまつわるスペシャルデー。数字の「520」の発音“ウーアールリン”が「愛してる」の中国語「我愛你」“ウォーアイニー”に似ていることから、我愛你の日として、若者を中心にネットやSNSで広まったイベントです。カップルや夫婦がメッセージやプレゼントを贈り合うほか、愛を伝える告白の日として、シングルが相手に思いを告げたり、プロポーズをしたりする人も。

婚姻届を出すカップルも多く、2022年は「愛你愛愛我愛你（アイニーアイアイウォーアイニー）」とさらに語呂もよかったこともあり、台北市だけでも851組の婚姻届が提出され、うち15組は同性カップルだったとの報道がありました。役所側もこの日婚姻届を出すカップルのために記念品や写真撮影用のフォトスポットをしっかり用意するなど、盛り上げムードも万全。幸せムードに包まれる愛の日です。

21 | 五月

5月21日

5月の買い物はデトックスを意識

5月21日頃は二十四節気の小満。台湾ではちょうど梅雨にあたるシーズンです。雨が続くと、湿気がたまり、身体もむくみやすくなるため、食べるものもデトックスを意識。写真はこの時期に市場で買ってきたある日の買い物。野菜はマコモダケ、パクチー、長い茄子、花ニラです。どれも日本ではあまり見かけない食材ですが、特にマコモダケがお気に入り。電鍋で蒸して食べるのですが、食物繊維が多く、筍やコーンのような甘みを感じます。貝は蛤蜊（グーリー）と呼ばれるハマグリ。こちらもデトックスや免疫力アップにいいとされ、ハマグリスープは食堂や夜市にもある定番メニュー。市場では買う時にスープを作ると伝えると、台湾バジルの九層塔（ジウツォンター）と生姜を1片サービスでつけてくれます。デトックスとは関係ありませんが、左上のカップに入ったものは屋台で購入した豆花（ドウホア）。美味しいおやつまで手に入るのが市場のいいところです。

5月22日

ローカルビュッフェの自助餐（ズーヂュツァン）

台湾での食生活で、日本にもあればいいのにと思ったもののひとつに「自助餐」があります。ビュッフェスタイルの食堂で、おかずがずらりと並び、しかもお手頃。ワンプレート用のお皿、もしくはテイクアウト用ボックスが置いてあるのでニーズに合わせて利用できます。台湾では冷たいおかずは好まれないので並んでいるのは常温、またはほんのり温かいもの。自ら盛りつけるところもあれば、おかずの前で待機している店員さんたちに指差しで選んだものを取ってもらうスタイルのところもあります。そして最後にスープとごはんを注文しお会計。おかずは重量制で、グラム数により料金が決まります。大体100元前後と一般的な食堂での食事と変わらない料金。生野菜のサラダなどはありませんが、野菜メニューがとにかく豊富。ベジタリアン（素食）の自助餐も多く、こちらではもどき料理のバリエーションも見事。料理の勉強にもなります。

23 | 五月

5月23日

漢方薬局でスパイスを買う

台北の迪化街は乾物や漢方の問屋街→12/365。街を歩けば独特の香りが漂います。漢方薬局の「藥行（ヤオハン）」も多いのですが、台湾人にとって藥行は身近な存在。馴染みの藥行を持つ家庭も多く、立ち寄っておしゃべりしたり、身体の相談をしたり。漢方の調合だけではなく、新鮮で良質なものが手に入るからという理由で、生薬として使われる胡椒や花椒、八角やシナモンなどのスパイス類も料理用にと購入します。迪化街の藥行は店頭に陳列棚を置き、そこでドライフルーツなどを販売しているところも多いですが、確かにスパイスも陳列してあります。自宅で煮込めば完成する薬膳スープやお茶のキット、スパイスをブレンドした五香粉（ウーシャンフェン）、煮込み料理用にスパイスを袋に詰めた「滷包（ルーバオ）」などもよく見かけますが、これらもお店によって配合が違うので、料理好きの人なら色々試したくなるはず。知るほどに奥が深い漢方の世界です。

24 | 五月

54 / 365

5月24日

買1送1（マイイーソンイー）と加購（ジャーゴウ）

　スーパーで商品をレジに持って行くと、「これ買1送1だよ」と店員さんに言われ、戸惑うことが何度かありました。買1送1は英語の「BUY 1 GET 1 FREE」。1つ買ったら1つ無料でサービスのこと。台湾では、スーパーやコンビニ、ドラッグストアなど至るところでこの文字を目にします。購入前に気づいていれば、同じ商品を2つカゴに入れるだけなのですが、大型スーパーでお会計時に買1送1と言われても、もう一度商品を取りに行くのが面倒で購入を見送ったことも。コスメなどの愛用品が対象だと嬉しいのですが、1個でいいからディスカウントしてほしいなとも思います。そのほか、特にドラッグストアでは加購というサービスが日常的に行われていて、買い物をするとレジ裏に陳列してある加購用の商品を格安で購入できます。フェイスマスクや生理用品などもあり、お得なことが多いので、お会計の際には欠かさずチェックしています。

5月25日

縁結びの神様・月下老人（ユエシァラオレン）

台湾には色々な神様がいますが、中でも人気なのは縁結びの神様と言われる「月下老人」。迫力のある神様の像が多い中、月下老人はちょこんととても小さな像で、可愛らしい姿にどこかほっこり。左手に婚姻簿、右手に杖を持っていて、未婚の男女に運命の赤い糸を授け、良き伴侶を得られるよう手助けしてくれると言われています。

月下老人がいる寺院は台湾各地にありますが、台北では「龍山寺（ロンシャンスー）」と迪化街にある「霞海城隍廟（シアハイチェンホアンミャオ）」が有名。ともに行きやすい場所ということもあり、良縁を願う人々が次々に訪れます。霞海城隍廟では日本語のできるガイドさんが滞在していることも多いので、参拝方法は親切に教えてもらえますが、台湾式は、線香を持ちながら3回お辞儀、まず心の中で自己紹介。名前、生年月日、住所を伝えます。願い事はなるべく具体的に伝えるのがよいとされ、願いが叶った際には必ずお礼参りに伺うのがマナーです。

5月26日

レジでよく聞かれる中国語

　コンビニやスーパーのレジでは、会計前にいくつか聞かれることがあります。よくガイドブックには「袋は有料なのでレジで要る・要らないを伝えましょう」とは記載していますが、それだけではない上に、学校では習わないような単語も多く、最初はかなり戸惑いました。ほとんどは会員の有無、統一編號（トンイービエンハオ）という企業番号入りレシートの有無だったのですが、近頃はレシートを専用アプリに登録できるようになったため→289/365、アプリの有無なども聞かれます。

◆ 会員ですか？　→有會員嗎（ヨウフイユェンマ）？
◆ レシートに統一編號（企業番号）は必要ですか？　→需要統編嗎（シーヤオトンビエンマ）？
◆ レシートは印刷しますか？ or アプリに登録しますか？
　→要印發票嗎（ヤオインファーピャオマ）？ or 發票要載具嗎（ファーピャオヤオダイジューマ）？
◆ 袋は要りますか？　→需要袋子嗎（シーヤオダイズマ）？
◆ 温めますか？　→加熱嗎（ジャールーマ）？

5月27日

外に出てはいけない演習の日

学校に行っていたある日、先生より「今日は萬安（ワンアン）演習の日なので午後1時半から2時までの間は絶対に外に出ないように」とのお知らせがありました。台湾では1978年より年に1回、空襲を想定した防空演習である「萬安演習」が必ず実施されています。1時半ちょうどに防空警報のサイレンが鳴り響き、同時に携帯電話にも警報アラートが届きます。その間、市民は外に出ることができず、道路を走行中の自動車、バイク、バスも路肩に車体を寄せ、30分間そのままの状態で停止。違反すると3万～15万元の罰金が科されます。学校や仕事は平常運転なので、建物の内部ではみないつも通りに過ごしているのですが、日本とは違う危機感をこのような時に実感します。この演習の様子は、台湾人アーティスト袁廣鳴（ユェングァンミン）の『日常演習』という映像作品に収められています。

5月28日

富錦街（フージンジエ）と台北カフェ・ストーリー

『台北カフェ・ストーリー』は2010年に台湾で制作され、日本では2012年に公開になった映画。その頃は自分のカフェを持ちたいという憧れと台湾のお洒落さに気がつきはじめていた頃だったので、映画の世界観が自分の理想とぴったりはまり、いまでも特別感のある作品です。舞台となっているのは台北にある富錦街。台北松山空港からほど近く、カフェやセレクトショップが並ぶ閑静な雰囲気の街。エリア一帯、大きな街路樹がアーチのような道を作り、いつ来ても緑が心地いいのです。映画は夢を叶え、富錦街にカフェをオープンした真面目な姉と、どこか自由奔放な妹がカフェを経営していく中で、それぞれの価値観を見つけていくというストーリー。劇中、妹が富錦街を自転車で走り抜けるシーンがあるのですが、この街の魅力が伝わってくるお気に入りの場面です。

5月29日

自由でおりこうな台湾の犬

台湾をはじめて訪れた時、リードなしで自由にふらふらしている犬があまりに多く、犬を長年飼っている私でも、大丈夫かしらと少しドキドキしてしまいました。でも、観察していると、どの子もマイペース。走り回るわけでもなく、なにより人に関心がない様子。首輪をしていても飼い主さんの姿が見当たらないことも多く、飼い犬なのか野良犬なのかの区別もあまりつかないほど。台湾の人々にとってはその光景が日常なのでしょう。騒ぐ人は誰もいないし、暑い日にはコンビニの中で勝手に涼んでいる犬がいるのもおなじみの風景。まさに共存という言葉がぴったりで、飼い主さんと一緒にスクーターに乗っていたり、夜市でずっと椅子の上に座り店番をしていたりと、しつけられている気配は感じられないのにみんなおりこう。暑いのだけは大変そうですが、のびのびと育てられているからこそ、逆にストレスなくあんなに穏やかでいられるのかもしれません。

5月30日

大人語学留学のすすめ

台湾が好きになればなるほど、もっと台湾人とコミュニケーションが取れたらと思うようになりました。ほかにも、同じ漢字でも解読が困難だったメニューの意味を理解することや、店や屋台でスマートに注文できるようになることも目標で、台湾の食に興味津々だった私はその壁を越えられたらもっと世界が広がるはずだと、中国語学習を開始。その数年後、仕事を辞めたタイミングで台湾での短期留学に挑戦しました。最初はトライアルで3週間、その後、3カ月、半年と期間を延ばし、自分のペースで滞在しながら学習を続けました。語学学校の学費はそこまで高くないため、ある程度の貯金があれば実現できたのもきっかけです。留学生は国籍もそうですが、10代から60歳を超えた方まで本当に様々。まさに学びに年齢は関係ないと思える環境のなか過ごした久々の学生生活は、憧れだった台湾での生活も実現でき、一歩踏み出してよかったといまでも思っています。

31 | 五月

5月31日

世界禁煙デーと台湾のたばこ

日本の厚生労働省にあたる台湾の衛生福利部や病院などはこの日「531世界無菸日(シージエウーイェンリー)(世界禁煙デー)」の呼びかけを行います。台湾では国民の健康増進を図るため、1997年にたばこ煙害防止法が制定され、その年には21.9%だった成人の喫煙率が2020年には13.1%まで減少しました。たばこは日本と同じ20歳から。ほとんどの公共施設や公共交通機関、そして3人以上が共用する屋内の職場や国立公園は禁煙と定められています。その他、市民や観光客の利用が多い公園は喫煙区域を設け、それ以外のエリアや台北では学校周辺の歩道も全面禁煙。違反した場合は2000元以上、1万元以下の罰金が科されます。また、台湾ではたばこのパッケージに健康被害の警告を訴える写真を大きく掲載しているのですが、胎児の写真や黒くなった肺、ボロボロの歯などかなりリアル。なかなかインパクトがあるので、これをお土産にしてしまう外国人も時折いるほどです。

6月1日

大学生の卒業式と卒業写真

台湾の6月といえば卒業シーズン。学校は9月入学のため、この時期に卒業式や終業式が行われます。卒業生以外の学生は7〜8月は夏休み。2カ月間も夏休みがあるなんて羨ましいですよね。どの大学でも卒業式にはアカデミックドレスを着用し、最後には角帽を空に向かって飛ばす映画のワンシーンのような光景が見られます。アカデミックドレスは黒いガウンに色付きのフードを着用し、学部によって色分けがされています。学生たちにとっては、このアカデミックドレスを着て卒業写真を撮るのも大切なイベント。卒業式が近くなると、街のあちこちで仲のいいグループが楽しそうに写真を撮っている姿を見かけます。写真を撮るのが好きな台湾人。ウエディングフォトのように、ここぞという時には気合を入れてロケ撮影を行うのは文化のようなものですが、表情を作るのもポージングもみんな本当に上手。常にマンネリポーズの私は惚れ惚れしながら眺めています。

6月2日

台湾の国際空港

台湾の国際空港は台北松山空港、台湾桃園国際空港、台中国際空港、高雄国際空港の4カ所。そのうち、日本路線を運航しているのは台北松山、桃園、高雄です。利用者数が一番多いのは台湾桃園国際空港で、台湾の航空会社であるエバー航空、チャイナエアライン、スターラックス航空、タイガーエア台湾のハブ空港となっています。

台湾桃園国際空港は2017年にMRTの空港線が開通したことにより、それまで台北までは空港バスで1時間以上かかっていたのが、最短35分ほどでアクセスできるようになり、利便性が上がりました。ですが、実はもっと便利と感じるのは、台北松山空港や高雄国際空港。市内に空港があり、MRT駅も直結。タクシー利用の際も、さほど高額にならず滞在先まで移動できるので、交通費が浮くほか、到着後すぐに旅がはじめられるというメリットがあります。

6月3日

噛みたばこ檳榔（ビンラン）

道を歩いていると、赤い血のようなものが落ちていることがあります。これは噛みたばこの「檳榔」。ヤシ科の植物で、その実を石灰と一緒にキンマの葉に包んだものが専門店で販売されています。噛むことで眠気覚ましや軽い興奮状態になるとのことで、ドライバーやブルーワーカーに愛好家が多いことで知られているのですが、噛んだ唾液は飲み込むと胃を痛め、口の中に繊維も残るため吐き出しながら嗜みます。本来、路上に吐き出すのは禁止。それでも赤い血もどきは地方や郊外に行くとお店も多いため、目にすることが増えます。18歳未満は禁止で、発がん性があるなど、身体に害を及ぼすと言われている上に美味しくもないそうで、「噛んだことある？」と友人たちに聞くと顔をしかめて「ない」と言われることがほとんど。正直、檳榔の屋台やお店のデザインは昔ながらのカッコよさがあって心惹かれるのですが、檳榔自体にはあまりいいイメージを持てずにいます。

6月4日

檳榔(ビンラン)の花と食堂の小菜(シャオツァイ)

そんな檳榔、花の部分は食用され、旬は6月頃。スーパーにはほぼ並びませんが、ごく一部の市場で出会うことができる食材です。あっさりとした味わいで、しゃきしゃきと筍のような食感。名前はそのまま「檳榔花(ビンランホア)」。えのきを巨大化したような見た目で、色は白く先端は稲穂のよう。はじめはお米の仲間かと思ったほどです。

小籠包や水餃子などの専門店では、店内の一角に小菜と呼ばれる小皿料理が並んでいて、私が檳榔花をはじめて見かけたのはこの小菜コーナー。台湾家庭料理をベースにしたおかずが多いので、知らなかった食材や料理と出会える貴重な場。檳榔花もなにかは知らずに食べていて、クセのない味わいと食感が気に入り、見かけると選ぶおかずのひとつでした。あの檳榔の花だと教えてもらった時には驚きましたが、変わらず好きな食材です。檳榔のような作用はありませんが、身体を冷やす食材のため、食べ過ぎはよくないそうです。

6月5日

台湾の結婚式

日本では6月といえば結婚式シーズンですが、台湾でも「六月新娘（リゥユエシンニャン）」という言葉があり、この時期に結婚式を挙げる台湾人も少なくありません。いまはそこまで気にする人もいないようですが、中華圏の古い伝統では旧暦6月は1年のちょうど半分にあたる月、始まりでも終わりでもないことから良くないとされていたそう。さらには旧暦7月には「鬼月（グィユエ）」→138/365 があり、鬼月での結婚はタブー。伝統を重んじる場合はさらに占いなどで吉日を選ぶので、結婚式までの道のりもなかなか大変そうです。披露宴はホテルや結婚式場が人気ですが、流水席（リゥシュィシー）と呼ばれる屋外にテントを設置し、高級料理でおもてなしする伝統的なスタイルも行われています。ご祝儀は紅包（ホンバオ）袋（ダイ）に「百年好合（バイニェンハオフー）（末永く仲良く）」など縁起のいい四字熟語を書き、縁起のいいとされる偶数の金額を入れます。ただし、4（スー）と8（バー）は「死（スー）」と「別（ビエ）」の発音に似ていることから避けるのがマナーです。

6月6日

旬が短いライチを食べる

6月6日頃は二十四節気の芒種。ザ・南国といった感じのカラフルなフルーツが食べごろを迎えるシーズンです。中でも見かけたら食べておきたいのが荔枝（リージー）とよばれるライチ。ライチは市場に出回る期間が短く、楽しめるのは1カ月ほど。台湾を訪れるまでは冷凍ライチしか口にしたことがありませんでしたが、フレッシュなライチのみずみずしさと華やかでオリエンタルな香りはまるで別物。ひと口食べるとすぐに虜になりました。品種もいくつかあり、一番目に並びはじめるのは、緑がかった皮と肉厚で爽やかな酸味が特徴のドラゴンライチ「玉荷包（ユーバオ）」。その後に種が小さく、蜜のような濃厚な甘みが特徴の「糯米荔枝（ヌオミーリージー）」、シーズン最後まで楽しめ、冷凍ライチとしても馴染みのある「黒葉荔枝（ヘイイエリージー）」と続きます。美味しいのでつい沢山食べたくなりますが、食べ過ぎると上火（シャンフオ）といい、体に熱がこもり肌荒れなどの症状が出ることも。1日5〜7個が適量のようです。

6月7日

帽子と日傘どっちを使う？

以前、台湾人に「日本人観光客は帽子でわかる」と言われたことがあり、台湾人もファッションとして帽子を好んで被っている人もいますが、炎天下の中歩く際は、帽子より日傘を愛用している人の方が多いように感じます。私も旅行で来ていた時は、熱中症予防に帽子を被らなければ！と帽子持参で来ていたのですが、台湾の灼熱はレベルが違うため、ずっと被っていると帽子の中が汗だくでなんだか不快。日傘の方が確かに快適かもと思うようになりました。しかも、台湾で売っている日傘はほとんどが晴雨兼用、UVカットやシルバーまたはブラックコーティングなど機能性が高いものも多く、なかなかの優れもの。どんなに晴れている日でも突然雨が降ることが本当に多いので、晴雨兼用の折り畳み傘はいつでも持ち歩いている必須アイテムです。

6月8日

大自然に囲まれた台湾のハワイ「墾丁（ケンディン）」

台湾最南部にある墾丁は国家公園の大自然に囲まれたビーチリゾート。「台湾のハワイ」と呼ばれることもあり、ヤシの木が立ち並び、晴天の青空と青い海が広がる光景は楽園のようです。高雄の新幹線駅からシャトルバスが運行していて所要時間は約2時間。本数も30分に1本ペースなので、アクセスも難しくありません。プライベートビーチのある5つ星リゾートホテルでのホテルステイや、お洒落な民宿でローカル気分を味わいつつのんびり過ごすなど、予算とニーズに合わせ過ごし方も選べるのも墾丁のいいところ。以前宿泊した民宿では、部屋にあるプールでフローティングブレックファーストが楽しめ、とことん非日常感を堪能しました。ビーチ以外にも車の手配をして、美しい景色が見渡せる龍磐公園などへ足を運んでみるのもおすすめ。壮大な大自然を味わっていると心が元気になっていくのを感じます。

6月9日

台湾鉄道と駅弁の臺鐵便當（タイティエビェンダン）

台鐵（タイティエ）・TRAと呼ばれる台湾の国営鉄道。これに乗車すればぐるり台湾1周ができる環島（ホァンダオ）を実現することも可能です。台鉄は列車の種別が「自強號（ズーチャンハオ）」、「莒光號（ジュグァンハオ）」、「區間快車（チュジェンクァイチャー）」、「區間車（チュジェンチャー）」と区別され、それぞれ特急・急行・快速・普通列車に相当します。ですが、これがなかなか覚えられず、毎回キップを買う際に戸惑ってしまいます。料金が安い高速バスや短時間で移動できる新幹線を選択することが多いので、台鉄を利用するのはローカル線で陶磁器の街「鶯歌（インガー）」→243/365や九份への乗り換え駅「瑞芳（ルイファン）」へ行くため、もしくは東部花蓮へ行くために自強號の太魯閣（タロコ）號または普悠瑪（プユマ）號へ乗車するなど数えるほどしかありませんが、駅弁の「臺鐵便當」を買い込み乗車する鉄道の旅はやはり気分が高まります。60元で大きな豚スペアリブの煮込みがのった排骨（パイグー）便當は、一度は食べておきたい昔ながらの台湾の味です。

6月10日

粽の仕込みと台湾人ママの料理

旧暦5月5日の端午節が近づいてくると、街中で粽（粽子）が売られはじめます。家庭で手作りするところも多いため、市場を歩くと笹の葉が束で売られるなど、この時期ならではの光景が見られます。キッチンがないとよく言われている台湾の家ですが、ファミリー用物件はほとんどしっかりとした台所が設置されているので、お家にいるママが一家の夕食を作っているというお宅も沢山あり、そんなママたちがより腕を振るうのが粽作り。大量に作り、家族や親戚などに配ります。私も友人たちからママ特製の手作り粽をいただいたことがありますが、これが本当に美味しくて大好物！「ママの粽食べる？」と聞かれたら二つ返事で「食べる！」と即答。味のついた餅米の中には豚の角煮、椎茸の煮物、干しエビ、干し貝柱、塩漬け卵の卵黄、ピーナッツなどがたっぷり。ありがたさを噛みしめながらいただいています。

11 | 六月

6月11日

粽(ちまき)の種類と台湾での食べ方

粽の種類が豊富な台湾。どんどん色んなものを試したくなります。北部と南部で作り方が違い、北部は炒めたもち米を笹の葉に包んで蒸すので、お米の粒をしっかりと感じられます。南部は笹の葉に包んだ後茹でる製法。お米は柔らかく、お店で食べる時には甘辛いタレと一緒にピーナッツの粉をトッピングしてくれます。また、甜辣醬(テェンラージャン)というケチャップとスイートチリソースをミックスしたような赤いソースをかけて食べるのが定番の食べ方。甜辣醬はケチャップよりも出番が多いポピュラーなソース。ほとんどの家庭の冷蔵庫の中に入っているはずです。その他にも餡子を包んだ粽などもあり、スターバックスでも毎年スイーツ粽がケースに並んでいます。ただ、気をつけたいのが、もち米で作る粽はほぼカロリーが500kcal超え。調子に乗って食べていると後が怖いのですが、美味しそうな粽の誘惑に勝つのも難しいのです。

12 | 六月

6月12日

一般人の風水

台湾の占いでは風水が項目に入っていることも多く、台北のランドマーク「台北 101」→18/365 も風水を取り入れた建築物として有名です。企業顧問風水師にオフィスを鑑定してもらうという話もよく耳にするので、一般家庭や例えば個人経営の店などでもやはり気にするものなのかと、友人や取材先のお店などで聞いてみましたが、世代や価値観によるところも大きいようで、これといった回答は得られず。ただ、企業の内装を担当している建築士の知人に聞いてみたところ、オフィスでも家庭でも必ず気にするのは、金庫と寝室にある鏡の位置なのだそう。金庫は財運アップのため、玄関から 45 度の「財位」に設置し、寝室は寝ている姿が鏡に映るのはよくないとされるため、ベッドと鏡の位置には特に注意を払うそう。また、台湾の家では玄関の上によく八角形の鏡が飾ってあるのですが、これも悪い気をはね返すための風水アイテムです。

6月13日

監視カメラと微笑み看板

歩道や路地、そして買い物をしている時の店内でも「錄影中　請微笑」と書かれた看板やプレートをよく見かけます。これは「撮影しています。微笑んでください」という意味。要はここに監視カメラがありますよという警告なのですが、こういうちょっとしたユーモアをちりばめてくるのも台湾らしさです。初期の台湾旅行では、空港送迎付きのフリープランツアーを度々利用していたのですが、強く印象に残っているのが、空港からホテルに向かうワゴンの中で、台湾人ガイドさんが「台湾はカメラが沢山あるので安全ですよ！」と自信満々に言ってくれたこと。おかげで街歩きへの不安がなくなりました。確かに、台湾では街の至るところに監視カメラが設置されていて、国民１人当たりに対する設置数は世界でもトップクラス。もちろん油断は大敵ですが、落としたスマホや財布なども戻ってくる確率が高いと言われています。

14 | 六月

6月14日

やっかいな蚊との闘い

台湾で慣れないことといえば害虫の多さ。ゴキブリは絶対で、侮れないのが「蚊」の存在です。とにかく、油断してもしなくても刺されるので、夏場の素足はどうしても醜くなるのが悩み。虫よけスプレーもコンビニやドラッグストアなど、どこにでも売っていますがつい忘れがち。とりあえず、刺されてもすぐに対処できるよう、虫刺され用の薬は常備、万が一忘れた際には、こちらもどこにでも売っている「白花油（バイホアヨウ）」→118/365 などのハッカ系オイルを塗るようにしています。台湾はデング熱なども発生するので注意が必要ですが、「小黒蚊（シャオヘイウェン）」や「黒蚊子（ヘイウェンズ）」と呼ばれる、体長1~1.4mmほどの吸血虫にもご用心。これに刺されるとやっかいで、蚊よりもひどい腫れとかなりのかゆみがあるため、皮膚科に行く必要なども出てきます。友人は台北のカフェのテラスでお茶している時にやられたそう。虫よけスプレーも小黒蚊専用のものが売っています。

6月15日

夜景スポット陽明山(ヤンミンシャン)

台北で手軽に夜景が楽しめるスポットといえば、信義区にある象山→218/365が有名ですが、少し足を延ばした陽明山も人気です。陽明山は四季折々の花を観賞できるなど、自然を満喫できる身近なリフレッシュスポット。中國文化大学があるので、バスの本数も多く、台北中心部からも公共交通機関を利用して訪れることができます。大学の裏山は台北を一望でき、夜は夜景が綺麗に観賞できる場所として有名で、Googleマップには「文化大學後山情人坂(ウェンホアダーシエホウシャンチンレンポー)」という名称で位置情報も掲載されています。そして、その真下には夜景を眺めながらリゾート感たっぷりの大人な雰囲気でお酒と料理を楽しむことができる人気のレストランバー「The Top 屋頂上(ウーディンシャン)」、それ以外にも周辺には同様の夜景バーが点在し、連日深夜まで賑わいを見せています。日の沈む前に訪れ、夕陽を眺めるのもおすすめの過ごし方です。

6月16日

年中食べられる牡蠣料理

屋台料理の定番で牡蠣オムレツの「蚵仔煎（オアジェン）」や牡蠣とホルモンの煮込みがトッピングされた麺料理「麺線（ミェンシェン）」など、台湾では牡蠣を使った料理が豊富。食堂でも「蚵仔湯（オアタン）」という牡蠣と生姜だけのシンプルなスープをよく見かけます。台湾では牡蠣の養殖が盛んで、彰化王功（チャンホアワンゴン）、雲林台西（ユンリンタイシー）、嘉義東石（ジャイードンシー）、台南七股（タイナンチーグー）が4大生産地。5月～中秋節頃は産卵期で身がふっくらしていると言われています。年中食べることができ、火を通した調理法が一般的です。私は台北にある養生スープが看板メニューの「雙月食品社（シュアンユエシーピンシャ）」で提供しているボイル牡蠣「乾蚵（ガンフー）」が好物。こちらでは東石から毎日直送で届く新鮮な牡蠣が使われています。また、それぞれの漁港近くでは、焼き牡蠣の食べ放題や生牡蠣を提供しているところも。漁港はどこも車がないとなかなかアクセスが難しいのですが、いつか訪れてみたい場所です。

6月17日

進化する映画館

台湾でも映画はみんな大好き。映画館も充実しています。施設の雰囲気は日本とほとんど変わらずで、信義（シンイー）や西門（シーメン）、内湖（ネイフー）、板橋（バンチャオ）などにある大型商業施設の中には立派なシネコンがあり最新作や話題作が上映、リノベスポットの華山（ホアシャン）1914文化創意産業園区→186/365 や旧アメリカ大使館の建物を使用した台北之家という施設にはミニシアターがあり、単館系の映画や4Kリマスター、過去の名作などを上映しています。料金は映画館によりますが、大体300元前後。手頃な料金で鑑賞できる上に、日本映画も数多く上映しているので、日本で観そびれていた映画を台湾で楽しむなんていう楽しみ方も。近頃はラグジュアリーな映画館も話題で、館内はホテルのようなラウンジにレストラン並みの食事メニュー、ゆったりとしたふかふかのソファーやテンピュールのベッドに寝そべりながら鑑賞できるようなところも増えています。

18 | 六月

6月18日

トイレの紙問題

はじめて台湾旅行を計画した時、目を通したガイドブックには「台湾のトイレではトイレットペーパーは流せません。備えつけのゴミ箱に捨てること」と書いてあり、確かに現地ではその通り。台湾は好きでもこのトイレの紙問題は抵抗を感じる部分でもありました。トイレットペーパーの質や排水管の問題で詰まるからという理由で長年そのような生活習慣があったのですが、2017年から国の政策の一環として「トイレットペーパーは流す」というルールに変わり、現在ではMRT駅をはじめとした公共のトイレでは「使用したトイレットペーパーは流してください」と表記するように。以前とは随分変わりました。ただし、例えば九份など場所によっては設備の問題などから流せないところもあります。大きなゴミ箱が置いてあったり、「衛生紙請（ウェイシェンヂーチン）勿丟入馬桶（ウーデュルーマートン）」と書かれていたりするとNG。流さないよう気をつけましょう。

19 | 六月

80 / 365

6月19日

猫カフェと猫のいるカフェ

台湾には猫カフェも多いのですが、猫ちゃん目的ではなくとも、行ったら「猫がいた」というカフェも多く、みな可愛がられているのがよくわかる穏やかさ。お客さんも猫も自然体で、寛いでいるところを眺めているだけでも優しい気持ちになるので、何も知らずに入り猫がいると勝手に得した気分になります。台湾には「貓奴（マオヌー）」という猫奴隷を意味する言葉があるくらい、猫愛好家の人も多い国。猫カフェも、日本の猫カフェは内装もコンセプトも猫と遊ぶことがメインに作られている感じがしますが、台湾の場合はどちらかというとカフェがメインで「こだわりのカフェに猫がいる」といったスタンス。豊富なドリンクメニューにパスタやサンドイッチ、焼きたてワッフルなど、提供されるものはちゃんと美味しく、猫は自由気ままにのびのび。パソコンを持ち込み勉強や仕事をしている人もいて、人間と猫との距離感もちょうどいい感じがするのです。

6月20日

終日楽しめるブランチカフェ

朝食店が充実している台湾ですが、お洒落な空間でゆったりと洋食のセットメニューが楽しめるブランチも根強い人気があります。ブランチは「早午餐（ザオウーツァン）」。Instagram などで＃早午餐と検索すると、エッグベネディクトにフレンチトースト、スモークサーモンのオープンサンドにパンケーキなどなど、お洒落で美味しそうな写真がずらり。＃台北早午餐、＃台中早午餐など場所もあわせて入力すると、その街で話題のお店などがすぐに見つかるので、お店選びの参考にすることも。予算は 300 ～ 400 元ほど。カフェラテなどのドリンクがセットになった、ボリュームたっぷりのメニューが楽しめます。休日はどこも混雑するので狙い目は平日。ブランチだけれど、終日提供しているお店も多いので、台湾ごはんの気分ではない時や生野菜のサラダが食べたい時などにもブランチカフェは重宝します。

6月21日

夏の衣替えのタイミング

6月21日頃は二十四節気の夏至。台湾語のことわざに「未食五日節粽 破裘毋甘放」というものがあり、これは「端午節の粽を食べるまで冬服はしまってはいけない」という意味。旧暦は毎年変わるので、旧暦5月5日が6月上旬か下旬かでかなり気候は変わりますが、夏至の頃の季節は確実に夏。梅雨も終わるので、雨量も少なくなり、気温も連日30℃を超える灼熱の日々がいよいよスタート。冬服は11月頃まで全く必要がなくなります。夏至前の5月下旬から6月上旬頃までの気候はかなり不安定。気温は25℃前後と過ごしやすさはありますが、20℃を下回ると肌寒く、長袖は確かに必要。衣替えはまだ早いかなという実感がありました。台湾人の中には薄手のダウンジャケットを羽織っている人もいて、驚くこともあるのですが、台湾人は少しでも気温が下がるとダウンを着込む人が多く、ユニクロのウルトラライトダウンはかなりのシェア率です。

22 | 六月

6月22日

端午節(ドゥァンウージエ)の由来や習慣

旧暦5月5日は「端午節」で祝日です。粽(ちまき)を食べ、ドラゴンボートの大会が開催されることでも有名ですが、これらの由来は中国の春秋時代に遡ります。楚の詩人で愛国心の強い政治家、屈原が国外追放され、楚も秦により占領されたことにより、5月5日、失意の屈原が川に身投。楚の人々が捜索のため船を出ました。その際、水中にいる龍の一種「蛟龍(ジャオロン)」が屈原を食べてしまわぬよう船の上で太鼓を鳴らし、粽を川に投げ入れたとの説があります。

そのほかにも風習として、かつては疫病が流行る時期だったため、厄除けとして菖蒲・ヨモギ・蘭草を束にしたものを玄関に吊るし、子どもたちには虫よけになる白芷や丁香を入れ、粽や動物の形に作った香り袋の「香包(シャンバオ)」を身に着けさせます。またこの日の正午に卵が立つと幸福が訪れると言われていて、「立蛋(リーダン)」という卵チャレンジもよく行われています。

6月23日

台湾の物価と住居とキッチン問題

台湾は確かに外食文化。ラクで便利と感じることが多いですが、料理をするかしないかは住居環境によるものが大きいというのが住んでみてわかったこと。台湾の物価は思うほど安くなく、いまの台湾だと日本よりお得に感じるのは交通費とドリンクスタンドの飲み物くらい。住居費に関してはとにかく「高い」のひと言です。例えば、台北で1万元の予算で一人暮らし用の部屋を探すのはかなりの難易度。綺麗さは期待しない上で、玄関共用、キッチンなし、シャワーのみという部屋が見つかればいい方で、これだと料理はもちろん無理。ただ、同じ予算でもシェアハウスなら共用のキッチンがあることも多く、当然予算を上げれば、綺麗で素敵なキッチン付きの物件はいくらでもあります。それでも働いていたりすると結局は外食という人も確かに多いのですが、コロナ禍以降は「おうちごはん」も見直され、このあたりのライフスタイルは今後変わっていくのではと感じています。

6月24日

気持ちがラクになるテイクアウト文化

台湾の食文化で魅力的なところはいくつもありますが、テイクアウト文化もそのひとつ。日本でもコロナ禍を機にそのような形態のお店は増えましたが、台湾ではそもそも屋台が多い上、どんな小さな街の食堂でも「外帯（ワイダイ）」または「帯走（ダイゾウ）」といえば持ち帰り用に用意してもらえます。そのほか、「打包（ダーバオ）」といって、食べきれなかった料理も大抵のお店では気軽に包んでもらえます。レストランだけでなく、カフェや食堂でもお願いすると「オッケ〜！」といった感じで快く対応してもらえるので、お腹いっぱいなのに無理して食べたり、残したりということもなくなり、気持ちがラク。火鍋店では余ったスープの打包は定番で、食後に持って帰るかをお店の方からほぼ聞かれます。その場合はビニール袋に直接スープを入れて渡してくれるので、豪快さにはちょっと驚きますが、引き続き自宅でも専門店の味を楽しむ人が多いようです。

25 | 六月

6月25日

生活必需品の大同電鍋

日本にも進出し、その便利さから愛用者が増えている台湾の国民的家電「大同電鍋」。どこか懐かしい感じがするのは日本の昭和30～40年代に活躍した電気釜と形も原理も一緒だから。台湾では1960年に登場し、1家に1台以上あると言われています。確かに街を歩けば食堂やコンビニなどでも見かけ、台湾に暮らしはじめた当初は台湾人の友人から「電鍋ある？」と聞かれ、ないと答えるとその便利さを教えてもらいました。お米を炊く以外に、蒸し料理や煮込み料理なども得意で、電子レンジ代わりに温めに使う人も多数派。内側に水を入れ、スイッチを入れるだけで調理ができるというシンプルな構造で、中の水が蒸発するとスイッチがオフに。饅頭(マントウ)や包子(バオズ)、粽(ちまき)などを食べる機会が多い台湾では、これらをレンジでチンするよりも、電鍋を使って蒸気で蒸す方が断然美味。上手に使えば複数調理も可能で、私にとってもすっかり手放せない相棒です。

6月26日

生理と養生と思いやり

生理痛で台湾人の友人との約束をキャンセルさせてもらった時、その友人から「もちろん大丈夫だよ、今日は温かくして、コーヒーもなるべく飲まないでね」とメッセージをもらい、優しさと気遣いに感動しました。そして、薬膳が身近な台湾では、男女問わず生理の時に身体を大事にするための養生法や知識が根づいていて、自分にも他人にも気を遣っていることを知りました。よく言われているのは「冷たい飲み物を飲まない」、「身体を冷やすものを食べない」、「辛い物や刺激物を取らない」ということ。飲み物は、常温のお水や身体を温める黒糖生姜茶などがいいとされ、例えば友人の同僚などは「身体を冷やす食べ物だから」と生理の時にはお弁当などに入っているキュウリなども食べないくらいに徹底しているそう。黒糖生姜茶などの薬膳茶もお湯で溶かすだけのものがスーパーなどでも売られていて、そういうものがいつでも手に入る環境はやはり理想的です。

6月27日

誠品書店への信頼感

子どもの頃から、暇さえあれば近所の小さな書店に行って立ち読みさせてもらうのが楽しみでした。書店が街からどんどん消えていく日本において、台湾における誠品書店の存在感は羨ましい限り。カルチャーの発信基地として、書籍と融合させた独自の空間は蔦屋書店のモデルになったとも言われています。2020年、24時間営業だった敦南店がテナント契約の関係で閉店になったことは大きなニュースになりました。最後の日には多くの人が駆けつけるなど、台湾人にとっても誠品書店は大切な場所なのです。内装は洗練された雰囲気ですが、児童書から専門書まで幅広く取扱っているので、小さな子どもからお年寄りまで客層を選びません。書籍以外にも文具はもちろん、雑貨や食品まで、誠品が厳選したセンスのいい商品が並ぶので、誠品に行けばなにかいいものが手に入るはずと絶対的な信頼を置いています。

28 | 六月

6月28日

ドリンクスタンドは元祖カスタマイズ

日本でもスターバックスが進出してきた1996年頃からドリンクをカスタマイズする文化がはじまり、今ではすっかり根付きましたが、台湾ではそれ以前から街中のドリンクスタンドでは当たり前のように甘さや氷の量などを調整し、自分好みのドリンクを楽しんでいました。そんなところからも美味しいものへのこだわりをひしひしと感じます。

基本的なオーダー方法は①ドリンク名、②サイズ、③甘さ、④氷の量を伝えればOKですが、甘さは「無糖（ウータン）（0%）、1分糖（イーフェンタン）（10%）、微糖（ウェイタン）（30%）、半糖（バンタン）（50%）、少糖（シャオタン）（70%）、正常糖（ヂェンチャンタン）（100%）」、氷の量は「去冰（チィビン）（0%）、微冰（ウェイビン）（30%）、半冰（バンビン）（50%）、少冰（シャオビン）（70%）、正常冰（ヂェンチャンビン）（100%）」となかなかの細かさ。私のオーダーは大体いつも「微糖（ウェイタン）・少冰（シャオビン）」で、このバランスがお気に入り。そしてこれがおそらく最初に上手になった中国語です。

6月29日

台北のランドマーク圓山大飯店

台北と台湾桃園国際空港を結ぶMRTが開通していなかった頃、台北入りするにはバスを利用するのが一般的でした。基隆河にかかる大きな橋を渡るあたりで、圓山大飯店の建物が見えると「台湾に来た！」という気持ちが高まっていたのはきっと私だけではないはず。それほどに小高い丘の上に立つ、宮殿のような巨大な圓山大飯店の存在感は圧倒的で、台北101とともに台北のランドマークと言われるのも納得です。日本統治時代には台湾神宮だった跡地で、館内には鳥居の写真も残されています。終戦後、蔣介石夫人の宋美齢によって建設され、台湾初の5つ星ホテルとして、世界的なVIPを迎えてきました。館内はまさに豪華絢爛。客室からは台北が一望でき、4つのレストランでは洗練された中華料理の数々を堪能できるなど、まさに一度は宿泊してみたいホテル。風水的にも申し分ないと言われる立地や、煌びやかな昇り金龍のオブジェなど、開運スポットとしても有名です。

30 | 六月

6月30日

飾り窓「鐵窗花（ティエチュァンホァ）」を見て歩く

治安のいい台湾、日中時間が許す時には、気の向くままに歩いてみるのも楽しいもの。新しいお店を見つけたり、お気に入りの場所に出会ったりするのは大抵そういう時です。台北なら、迪化街のある大稲埕（ダーダオチェン）エリアや温泉街の北投（ベイトウ）、台湾の古都と言われる台南などは味わいのある建物も多く、人々が生活する気配を感じつつ、穏やかに街歩きが楽しめるので、ふらり訪れたくなります。そんなふうに街歩きをしている時に、あわせて注目しているのが「鐵窗花」と呼ばれる鉄格子。台湾の古い建築物には窓のところに設置されていることがほとんどで、本来は防犯目的。ですが、昔のものはお花模様に幾何学模様などモダンレトロなデザインのものも多く、それを観察しながら歩くのが好きなのです。特に台南の神農街（ジェンノンジエ）などは、並んでいるどの建物にも可愛い鐵窗花が設置されているので、それだけでワクワクが止まらなくなってしまいます。

7月1日

金曲獎（ジンチュジャン）で台湾音楽を知る

台湾には「三金」と言われる、金曲獎、金鐘獎（ジンチョンジャン）、金馬獎（ジンマージャン）→184、216/365 という音楽・ドラマ・映画の3大エンターテイメントアワードがあり、それぞれ台湾版グラミー賞、エミー賞、アカデミー賞などと例えられています。

金曲獎は1990年にスタートし、2023年に第34回を迎えた歴史ある賞。中華圏最高峰の音楽の式典なので、ここでの受賞はかなり名誉のあること。ノミネートは29もの部門に分かれ、台湾華語のほか、台湾語、客家語、原住民語における楽曲の表彰も行われるのもこのアワードの特徴です。そのほか注目したいのが最佳裝幀設計獎というアルバムジャケット賞。台湾のCDはかなり自由度が高く、サイズや形、紙質のほか、どれも装飾を施したアートを感じられるものが多いのです。配信サービスも人気ですが、手元に残しておきたくなる美しいCDも数多く作られています。

7月2日

学生たちの夏休みと打工換宿（ダーゴンホァンスー）

台湾の学校の夏休みは長く、7～8月の約2カ月間。共働きも多いので、小学生は学童保育に通うほか、サマーキャンプに参加するという家庭も多いようです。大学生になると、バイトに精を出したり、スクーターで台湾1周をする「環島（ホァンダオ）」へ出かけたり。日本語学科に通っていた友人は単位も取れることから、夏休みを利用し日本でインターンをしていたそう。ほかには、国内で「打工換宿」という制度を利用し、簡単な宿の仕事を手伝う代わりに住ませてもらい、離島や墾丁（ケンディン）のような海辺のリゾートで過ごすというのも人気があります。以前、墾丁→69/365 を旅した時、打工換宿をしている20代の若者と食事をする機会がありました。学生ではありませんでしたが、彼らは仕事を退職し、次の仕事をするまでの間、打工換宿を利用して墾丁に滞在しているとのこと。空き時間には海へ行ったり、夜は飲みに行ったりと、とても楽しそうでした。

7月3日

気づかないほど大きなアボカド

台湾のアボカドはかなりのビッグサイズ。日本と同じようなメキシコ産など輸入品も売られていますが、どこにでもあるわけではなく値段も高め。それに比べると台湾産アボカドはリーズナブルな上、旬があるので食べられる時期は限られますが、6月頃から市場に並びはじめます。熟したものを店頭で見かけることはあまりなく、陳列されているのはこぶし2つ分くらいの巨大で鮮やかな緑色のもの。皮は輸入品に比べると妙につるんとしているので、最初はそれがアボカドだとは気づかないほどでした。産地は台東や南部。旬は7～10月頃で、「酪梨（ラオリー）」と呼ばれています。追熟までの時間は結構かかりますが、皮はちゃんと黒くなるので、それが食べ頃なのは同じ。輸入ものに比べると水分が多く、味もなんだか薄い感じ。とても好きな食材なので、はじめて口にした時は正直がっかりしたのを覚えています。

7月4日

アボカドミルクのおいしさにハマる

そんな台湾産アボカド、街中にはフレッシュフルーツをジュースにしてくれるドリンクスタンドも多いのですが、「酪梨牛奶（ラオリーニュウナイ）」というアボカドミルクも定番メニュー。台湾のドリンクスタンドは割となんでもミルクとブレンドするのですが、まさかアボカドまで……とアボカドはワサビ醤油が一番合うと思っていた私にとっては結構衝撃。ですが、ある日グルメな友人が飲んでいるのを味見させてもらうと、これまでにない味わいにひと口でドハマり。蜂蜜でほんのり甘みをつけてもらうのですが、まろやかでクリーミーな優しい味わい。どこかカスタードクリームのような風味も感じられ、デザートっぽさのある１杯に仕上がっていることに驚きました。また、このアボカドミルク、プッチンプリンを入れてブレンドするのも定番の飲み方。「プリン入れる？」と大抵聞かれるので、よりスイート感を求めたい時にはぜひお試しを。

7月5日

黄昏市場（ホァンフンシーチャン）も覗いてみよう

　市場と言えば朝市ですが、昼には終わってしまうので、うっかり寝坊し昼頃のそのそと行ってみるとお店はもう店じまい。買い物ができなかったという経験があります。しかし、台湾には朝市のほかにも「黄昏市場」という市場も存在し、夕飯用の食材やお惣菜が購入できるのです。どちらかというと郊外に多いので、観光客の姿はほぼ見かけない、活気溢れる地元の台所。黄昏時よりも少し早い午後２時頃から午後８時頃まで営業をしています。

　台北で行きやすいのはMRT永春（ヨンチュン）駅にある虎林市場（フーリンシーチャン）。駅からすぐの虎林街（フーリンジェ）という通りに野菜、果物、肉、魚、お惣菜に日用品などずらりとお店が並びます。ここは朝市と黄昏市場が同じ場所にあるので、1日中市場での買い物が楽しめる貴重な場所。MRT景安（ジンアン）駅や南勢角（ナンシージャオ）駅からアクセスできる新北市の中和（チョンフー）黄昏市場は屋根付きの伝統市場。市場の外にもお店が広がり、圧倒されるほどの活気です。

6 | 七月

97 / 365

7月6日

台湾素材が堪能できるクラフトビール

私が台湾に通いはじめた2011年頃、台湾人はビールをはじめ、日常的にお酒をあまり飲まないと聞いていました。確かに多くの人がスクーターを利用し、そもそも仕事の後に飲みに行ったり、食事の時に飲んだりという習慣もなし。コンビニのお酒コーナーには台湾ビールと輸入ビールがあるかないかといった品揃えでした。台湾がWTO（世界貿易機関）に加盟した2002年からクラフトビールは作られるようになりましたが、特に2015年頃から臺虎（タイフー）やSUNMAI、23號啤酒（アールサンハオピージュウ）など、勢いのあるブランドがクラフトビールバーをオープンさせるなどして、台湾にクラフトビールブームが到来。カフェのようにカジュアルなバーではタップから注がれるフレッシュなビールが楽しめ、ボトルもデザインにこだわる台湾らしく、お洒落なものばかり。台湾フルーツや漢方食材など、台湾の特色を活かしたフレーバーも目立ちます。気軽にビールを楽しむ台湾人が圧倒的に増えました。

7月7日

三伏貼（サンフーティエ）でいまから冬の病気予防

7月7日頃は二十四節気の小暑。中医学ではほかの季節に比べ、陽のエネルギーが上昇し、気血の流れが旺盛になる夏に、さらなるエネルギーを補い、冬の虚弱による病気を予防する「冬病夏治（ドンビンシァチー）」という考え方があります。例えば、冬に風邪をひきやすい、アレルギー性鼻炎や喘息、そして冷え性などの悩みがある場合は、体質改善を目的に、「三伏貼」という漢方のパッチ治療が行われています。三伏貼はお灸の一種で、特徴的なのは「初伏（チュフー）」・「中伏（ヂョンフー）」・「末伏（モーフー）」と間隔をあけて3回行うこと。それぞれ治療の日程が決まっていて、この小暑の後からはじまるのです。漢方のペーストを背中やお腹の何カ所かに湿布のように貼っていき、2時間後にはがします。ペーストは病院によって配合が違いますが、温熱効果がある、マオウ、ブシ末、ヨモギ、エンゴサクなどの生薬に生姜汁を混ぜたものなのだそう。3年以上続けるのがベストで、眠りの質もよくなると言われています。

7月8日

夏の夜、花蓮で音楽に酔いしれる

台湾東部の花蓮を旅した時、「今夜は台湾の有名ミュージシャンが集まる無料コンサートがあるからぜひ行ってみるといいですよ」と宿の方が教えてくれました。会場は宿から徒歩圏内の東大門夜市に隣接する広場。東大門夜市は原住民料理も味わえる夜市としても有名で、気軽な感じで訪れてみると、会場の規模も大きく、想像を超えるレベルのフェスが開催されていました。出演アーティストのラインナップもエンタメに疎い私でも知っているような、テレビで見るスターばかり。後から知ったのは、このイベントは花蓮で毎年夏に開催されている「花蓮夏恋嘉年華（ホアリェンシァリェンジァニェンホア）（花蓮サマーフェスティバル）」。数日間にわたり、夜な夜なライブが開催されるという、花蓮の夏を代表するイベントだったのです。私が訪れた時のトリはアジアの大スター林俊傑（リンジュンジエ）。素晴らしい歌声に酔いしれながら、夜市グルメと、台湾ビールを片手にゆるゆると楽しんだひとときは、最高の夏の思い出です。

7月9日

ダイナミックな太魯閣渓谷（タイルーグー）

台北のホステルで、台湾1周からちょうど帰ってきたという同世代の日本人女性と出会いました。太魯閣渓谷がとにかく素晴らしかった！と目をキラキラさせていたのが印象的で、私もその後台湾1周にチャレンジした際、その場所を目指してみることに。

目的地は太魯閣国家公園。台湾東部の花蓮駅から観光バス台湾好行の太魯閣線に乗車するとビジターセンターまでは40分ほどで到着。そこからハイキングコース「砂卡礑歩道（シャカーダンブーダオ）」を散策したり、再びバスに乗車し、大理石の洞窟「燕子口（イェンズコウ）」を見学したりするのが定番コースです。ごつごつとした大理石の岩山や断崖絶壁、その先にある透き通ったエメラルドグリーン色をした小川など、太魯閣で味わえる自然はこれまで出会ったことのないダイナミックさ。落石の恐れがあるためヘルメット着用の箇所があるなど、壮大でワイルドな自然をそのまま体感できる、まだ見ぬ台湾がそこにはありました。

7月10日

ごはん代わりにかき氷

あまり大きな声では言えませんが、暑さで食欲がない日にはかき氷や豆花などを食事代わりにしてもいいのではと思うことがあります。かき氷の種類が豊富な台湾、サイズもまたひとりでは食べきれないほどの大きさで、食べると満腹になってしまうというのもあるのですが、例えば「八寶冰（バーバオビン）」と呼ばれるかき氷は8種類のトッピングが氷の上、または氷の中に隠れています。「八寶冰」の有名店、台北の龍山寺近くにある老舗「龍都冰果専業家（ロンドウビングヴォチュアンイエジャ）」のトッピングは小豆、緑豆、金時豆、ピーナッツ、タロイモ、白玉、モチモチとした2色の脆圓（ツェイユェン）。ほぼ豆類で氷が覆われています。しかも、台湾のこうしたトッピング用の煮豆は甘さも控えめ。かかっているシロップもさとうきびが原料の黒糖や紅糖なので身体にも優しい自然な風味。やはりどこかヘルシーな感じがしませんか？

7月11日

すぐ行ける港町・「基隆（ジーロン）」の魅力

台北から少し離れて気分転換したい時は、港町「基隆」へ向かいます。基隆は高雄港に次ぐ、台湾の貿易と物流の拠点。台北駅から鉄道、またはバスでともに40分前後と、方向が同じ九份へ行くよりも近いため、気軽に訪れることができます。カラフルにペイントされた水辺の建物群「正濱漁港彩色屋（チェンビンユーガンツァイスーウー）」で港を眺めながら写真を撮り、近くの海鮮料理屋さんで新鮮な海鮮ランチ。リノベカフェも増えているので、お散歩がてらお茶をして、基隆の老舗菓子店「李鵠餅店（リーフービンディエン）」で昔ながらのパイナップルケーキと苺ケーキをお土産に。そして、最後は「基隆廟口夜市（ジーロンミャオコウイエシー）」で夜市グルメを堪能します。1873年に建てられた、由緒ある廟（びょう）「奠濟宮（デェンジーゴン）」を中心に夜市が広がるここは美食夜市としても有名で、蟹おこわやさつま揚げ、揚げパンサンドなど、絶品グルメ揃い。黄色い提灯がずらりとともる様子もフォトジェニックで、帰る頃には気分もすっきりしています。

12 | 七月

103 / 365

7月12日

足裏マッサージでリフレッシュ

台湾生活はこれがあるから最高なのよね、としみじみ実感するのが足裏マッサージの「腳底按摩（ジャオディアンモー）」。元々むくみ体質なので、足裏後のすっきり感は感激もの。深夜まで営業しているところがほとんどなので、沢山歩いた日などは確実に駆け込みます。40分500元ほどで、足湯、足裏、お店によっては肩と首のマッサージをしてくれるところも。テレビなどでよく見る「イタタタタ！！」みたいなのはほぼ演出です。でも確かに痛みがある箇所は悪いところ。ツボの表を渡してくれるので、それを見ながらチェックします。マッサージチェアには充電器や小さなテレビが設置されていることも多いので、スマホやテレビを見ながらマッサージを受けることもできますが、リラックスしたいので、私はなにもせずに目を閉じながら身を任せます。台湾のマッサージ店ではスタッフさんを名前ではなく番号で呼ぶのですが、上手な方がいたら次回指名したいので番号を聞いておきます。

13 七月

7月13日

福隆(フーロン)国際サンドアートフェスティバル

福隆は台湾の東北角に位置する海沿いの小さな街。台北からは台湾鉄道の在来線で約1時間半とプチトリップにちょうどよく、海水浴場やキャンプ場、サイクリングコースなどもあるレジャースポットです。海水浴場は黄金色をした砂浜で全長約3km。この砂が砂彫刻に向いているとのことから、毎年ここでは5月〜7月頃まで、国際的なアートイベントでもある「福隆國際沙雕藝術季(フーロングォジーシャデァオイーシュジー)」が開催されます。世界各国から砂の彫刻家が招待され、その技を競うのですが、巨大な作品も多く、砂しか使用していないとは思えない精巧な造りが見どころです。2011年から始まったイベントですが、年々規模も拡大し、夜はプロジェクションマッピングによる光のショーなども行われます。さらに毎年この時期に貢寮(ゴンリャオ)國際海洋音樂祭というロックフェスも開催されるので、夏の福隆はかなりの盛り上がりをみせます。

7月14日

福隆（フーロン）の名物弁当

福隆といえば「福隆便當」と呼ばれる駅弁が有名で、駅を出ると目に入るのはお弁当屋さんとレンタサイクル。小さなお弁当屋さんが何軒も連なっています。お弁当のことは「便當（ビェンダン）」といい、日本語の「弁当」が由来。台湾のお弁当といえば、排骨（パイグー）（豚のスペアリブ）や鶏もも肉を揚げたものが白米の上にドカンとのっているものが定番ですが、福隆便當は四角い紙のお弁当箱に色々なおかずが少しずつ入っているのが特徴。ブランド米の池上米を使用し、おかずはどのお店もほぼ共通。肥肉（フェイロウ）とよばれる皮つき豚の三枚肉に瘦肉（ショウロウ）と呼ばれる脂身なしの豚肉、まるごと1個の煮卵に、干し豆腐、練り物、台湾ソーセージ、キャベツ炒め、高菜炒めがのっています。ソーセージと炒めもの以外は漢方入りの醤油で煮込んだ滷味（ルーウェイ）です。元々は釣りに行くお客さんのためにこのお弁当を作りはじめたそうですが、いまではすっかり街の名物グルメです。

7月15日

コンセプトストア巡りも楽しいスターバックス

世界中にあるスターバックスですが、台湾でもスターバックスは人気でコンビニと同じくらいどこでも見かける存在です。漢字で書くと「星巴克（シンバークー）」。スターバックスと英語読みするより、シンバークーと言っている人の方がほとんどです。店舗数は500を超え、人口10万人当たり2.26店とのことで、これは東京と同じくらいの数値。金門（ジンメン）や馬祖（マーズー）などの離島にもあります。「特色門市（トゥースーメンシー）」と言われるコンセプトストアは、ラグジュアリーな内装や日本統治時代の建物をリノベーションした歴史を感じる店舗も多く、花蓮にある「洄瀾店（フイランディェン）」は日本人建築家の隈研吾氏がコンテナ再生型の個性的な店舗をデザイン。観光スポットのようになっています。ベーシックなドリンクはほぼ同じですが、プロモーションドリンクやフード類は台湾らしい個性を感じられるものも。グッズも中秋節や春節などは中華デザインのものが増えるので、毎年楽しみにしています。

7月16日

台湾新幹線でお出かけ

2007年に開業した台湾新幹線（台湾高速鉄道）は「高鐵（ガオティエ）」と呼ばれ、最高時速300km、台北―高雄間を最短1時間半で結びます。台湾高速鉄道は日本の新幹線技術をはじめて海外で導入し、使用される「700T型」電車は、東海道・山陽新幹線700系の改良型。「日本の新幹線と同じだ」と乗車した日本人の嬉しそうな感想をよく耳にします。開業までのプロジェクトを舞台に日台の絆や人間模様を描いた長編小説、吉田修一氏の「路（ルー）」は2020年にドラマ化もされ、日台それぞれで大きな話題になりました。台北と高雄以外の地域は、駅が郊外にあるため、市街地に出るにはバスやタクシーに乗り換えるなどややアクセス面で面倒なところもあるのですが、それでも速さと15分に1本という運行ペースは快適そのもの。外国人旅行客であれば1万円ほどの金額で3日間利用できる乗り放題パスもあり、台北―台南を往復するだけで元が取れるお得さです。

7月17日

乳製品の進化と価格

台湾で生活するようになり驚いたのは乳製品が高いこと。例えば牛乳なら1L当たり80〜90元、無糖ヨーグルト500g約100元と価格は日本の約2倍。その代わり、豆乳が2L60元ほどと安く美味しいということもあり、冷蔵庫にストックしておく飲み物は豆乳を選ぶことが多くなりました。何不自由なく色々なものが手に入る台湾ですが、酪農業は盛んではない上に、気候や環境面から管理コストもかかるというのがその原因のひとつ。ただ、バターなどは日本では高級品のフランス産のバターなどが比較的手頃な価格で購入できるので、そのあたりは楽しみながら日々の生活に取り入れていました。それでも近頃はスーパーでもこれまで見かけることのなかった台湾産バターやミニサイズの無糖ヨーグルトなども登場し、選択肢が広がる楽しさや、台湾人のライフスタイルの変化、そして乳製品の進化を感じることが増えてきています。

18 | 七月

7月18日

台湾ビールとビールグラス

台湾で使われているビールグラスは小さなミニグラス。「143啤酒(ピージゥ)杯(ベイ)」とも呼ばれ、143ml しか入りません。実はこれは戦時中にビールの醸造量が激減してしまった際、専売局が1本600ml の貴重な瓶ビールを100ml ずつ6人で分けられるようにとこのサイズを作ったのだそう。少し厚みのあるガラスで、すぐに飲み終わってしまいますが、これで飲むと妙にビールが美味しく感じます。普段は各々手酌で気楽に飲みますが場合によってはお酌し合うことも。そんな時にはグラスが空になってから注ぐのが一般的で、残っているのに注ぐと不思議な顔をされます。グラスのデザインはほとんどがメーカーのロゴグラスですが、珍しいものなどを見つけると雑貨好きとしては思わずグッと来てしまうアイテム。近頃は雑貨店などでもオリジナルグラスを販売しているので、お土産やコレクターズアイテムとしても人気です。

7月19日

気候にぴったりなチェン先生の服

日本では「チェン先生の日常着」という名前で紹介されている、鄭（チェン）惠中（ホェチョン）さんが作る、綿麻素材のシンプルな洋服。メディアでもよく紹介され、特に日本人の愛用者も多いので、人と被ってしまうのも……と気になるけれど迷っていた時、友人が新北市板橋にあるアトリエ兼ショップに買い物に行くというのでついていきました。4階建ての凜とした雰囲気のアトリエは入口からすでに素敵で、2階に上るとシックからビビットまでずらりと並ぶ色の洪水は圧巻のひと言。その美しさに思わずテンションが上がってしまったのは言うまでもありません。ロングスカートやワイドパンツにワンピースなど、ベーシックなデザインは実際に着用してみるとさらりと風通しもよく、洗濯してもすぐ乾く上にアイロンいらず。なにより台湾の気候にぴったりで、毎日これでもいいと思えるくらいの快適さ。その後も少しずつ買い足しながら愛用しています。

7月20日

筍サラダと甘いマヨネーズ

台湾の筍の旬は5～10月頃。市場でも「綠竹筍（リュヂュスン）」という小ぶりの筍が売られています。日本の筍に比べ、えぐみがほとんどなく、とうもろこしのような甘さと風味です。調理もラクで電鍋があれば、皮付きのまま蒸せば30分ほどですぐに食べることができるという気軽さ。蒸したての熱々はもちろん、冷やしてマヨネーズをつけて食べるのも定番の食べ方。鼎泰豐（ディンタイフォン）などのレストランや台湾式居酒屋の熱炒（ルーチャオ）→150/365、食堂などでも「涼筍沙拉（リャンスンサーラー）」（筍サラダ）というメニューがあり、これがその筍×マヨネーズのこと。台湾のマヨネーズは酸味が少なく甘みが強め。日本人には不評で、私もあまり得意ではないのですが、筍サラダのときだけは別。日本のマヨネーズを合わせたこともあるのですが、何かが違う。台湾の甘いマヨネーズとの組み合わせがやはりしっくりくるのでした。

7月21日

市場に隣接する美食広場

台湾の市場にはマルシェ的な青空市場もあれば、建物内にずらりとお店が並ぶ屋内型市場もあり、規模も並ぶお店も様々。特に屋内型はフードコートのようなスタイルで食事ができる美食広場が隣接していることも多く、まさに庶民の台所。食事時にはテイクアウトする人やその場で食べる人々でごった返すほど賑わっているので注文も一苦労。公館駅すぐそばにある「水源(シュイユェン)市場」や観光地でもある迪化街の「永樂(ヨンラー)市場」は生鮮食品と同じフロアに小さな食堂が密集し、人気のお店は常に行列。中正紀念堂駅２番出口前の「南門(ナンメン)市場」や台北アリーナ近くの「中崙(チョンルン)市場」などは２階がフードコートになっています。あえて情報は入れず、みんなどんなごはんを食べているのかなと覗かせてもらいながら、美味しいお店を探すのもこういう場所での楽しみ方です。

7月22日

熱中症を治すには刮痧（グアサー）

中国語を教わっていた台湾人の先生と熱中症についての話題になった時、台湾人は熱中症っぽいなと感じたときは刮痧を使って自分で治しますよと言っていて、実に台湾らしい方法だなと感じました。刮痧は日本では美容法として知られていますが、台湾では民間療法として身近な存在。私は風邪っぽい時にマッサージ店ですすめられました。専用のプレートなども簡単に手に入れることができますが、その中国語の先生はいざという時はスプーンで首の後ろをこすって症状を和らげるそう。別の友人は自分ではできないけれど、やはり熱中症になった時にはマッサージ店に行き刮痧をしてもらうとのこと。熱中症は中国語で「中暑（ヂョンシュ）」。YouTube などで「中暑　刮痧」と検索するとやり方動画などが出てくるので、セルフケアとして覚えておくと役立ちそうです。

7月23日

命の水のスイカジュース

7月23日頃は二十四節気の大暑。最高気温は連日38℃前後まで上がり、外を歩いているとドライヤーの熱風をずっと浴び続けているかのよう。とにかくそんな時に大切なのは水分補給。台湾ではスイカが安くて美味しいので、そのまま食べるのはもちろん、手軽にスイカの水分を補給できるスイカジュース「西瓜汁（シーグァズー）」をよく飲みます。適度な糖分は熱中症予防になり、カリウムは利尿効果を促進、そしてむくみを取るなどのデトックス効果もあると言われているので、特にこの時期には「命の水」と称して、ドリンクスタンドに駆け込み、フレッシュなスイカジュースを作ってもらいます。気をつけたいのが、砂糖を入れるところが多いので、カスタマイズができるところでは、砂糖なし・氷少なめの「無糖（ウータン）・少冰（シャオビン）」でオーダーし、自然な甘さを楽しみます。

24 | 七月

115 / 365

7月24日

美味しく美容にもいいヘチマ料理

台湾に来てから食べるようになった食材は色々ありますが、中でも絲瓜（シーグア）と呼ばれるヘチマを使った料理が大好きになりました。はじめて食べたのは、屋台のハマグリとヘチマのスープ「蛤蜊絲瓜湯（グーリーシーグアタン）」。透明度が高く澄んだスープはひと口飲むとハマグリの出汁とヘチマの少しだけ青さが残る味わいが滋味深く、ヘチマの翡翠のような美しいグリーンにもうっとり。日本では出会ったことのないスープの味に感動しました。その後、小籠包専門店で出会ったヘチマとエビの小籠包「絲瓜蝦仁湯包（シーグアシャーレンタンバオ）」やヘチマと春雨の蒸し物「絲瓜冬粉（シーグアドンフェン）」などをいただいた時も、優しくクセのない風味は繊細な味付けとよく合い、記憶に残る味となりました。さらに、ヘチマはデトックス効果があり肌にいいというのは台湾人女性ならみな知っている知識。食べて綺麗になれる美容食なのです。

25 ｜七月

7月25日

城壁に囲まれた古城の街「恒春（ヘンチュン）」

台湾最南端のビーチリゾート、墾丁（ケンディン）→69/365。そんな墾丁とあわせて訪れたい場所が、ひとつ手前の街「恒春」です。街の中心部にはバスターミナルがあるので、アクセスもしやすく、リムジンバスも墾丁の前に必ずここで停車します。

清朝時代に築かれた城壁に囲まれ、東西南北の城門も街のシンボル。歴史を感じる人口３万人ほどの小さな街です。かつて台湾で大ヒットした映画『海角七號（ハイジャオチーハオ）』のロケ地としても有名で、映画で使用された建物はいまでも人気スポット。コンパクトだからこそ動きやすく、民宿やお洒落なカフェが多いのもこの街が好きな理由。特に「波波廚房（ボーボーチュウハン）」というお店は１階がカフェ、２階がイタリアンになっていて、古い建物をリノベした店内や、屏東産の食材を使用したメニューなどここならではの素敵に溢れています。街は墾丁よりも生活感を感じられるので、民宿に滞在しながら暮らすような旅ができる場所です。

26 | 七月

7月26日

誕生日ケーキに願い事

誕生日にはケーキでお祝いするのは台湾も同じ。ホールケーキを用意し、ロウソクの火を吹き消します。ただし、台湾では吹き消す前に願い事をするのがお約束。願い事は全部で3つ。2つめまでは声に出し、3つめは自分の心の中だけで祈ります。胸の前で手を組み、一生懸命お願い事する姿は誰もが可愛らしく見え、とても微笑ましい習慣です。ロウソクは数字型ロウソクで年齢を飾ることが多いのですが、数字以外に「？」の形などもあり、ユーモアたっぷり。

「お誕生日おめでとう」は中国語で「祝你生日快樂（チュニーシェンリークァイラ）」。バースデーソングは「Happy Birthday to You ～♪」のメロディーにのせ、「祝你生日快樂～、祝你生日快樂～♪」とこのフレーズをそのまま繰り返して歌います。レストランなどではお祝いの席に遭遇することもあるので、覚えておくと一緒に盛り上がれますよ。

7月27日

常備しておきたいスースーアイテム

暑さの厳しい台湾では、ドラッグストアに行くと清涼感のあるアイテムが色々と揃っています。小瓶に入った「緑油精（リュウヨウジン）」や「白花油（バイホアヨウ）」といったような、メントール系の万能オイルやタイガーバームなどは台湾家庭の常備品。頭痛や肩など痛みのある個所に塗ったり、虫よけや虫刺されに使ったりということも多いため、持ち歩いている人も多いアイテムです。そして、最近増えているのが、クール系生理用ナプキン。素材に天然ミントやティーツリーオイルを配合し、ひんやりとした清涼感を得られます。台湾では生理の時には身体を冷やさないはずではと思ったのですが、天然成分による清涼感は肌の温度を下げるわけではなく、むしろ不快感を取り除いてくれるので、身体への影響は心配ないとのこと。ブームのきっかけとなった愛康（アイカン）というメーカーのものはデザインもお洒落で棚に並んでいても可愛らしい。台湾らしさのあるいい商品です。

7月28日

素朴さが美味しい昔ながらの氷菓

夏にはやはり食べたくなるひんやりスイーツ。台湾ではかき氷がフォーカスされることが多いですが、アイスクリームやソフトクリーム、イタリアンジェラートなどもまんべんなく人気。ハーゲンダッツのカフェも台湾では健在です。そのほかにも枝仔冰（ズーザイビン）、芋仔冰（ユーザイビン）、綿綿冰（ミェンミェンビン）、泡泡冰（パオパオビン）、清冰（チンビン）など、日本では出会ったことのないタイプの冷菓や氷菓が色々あります。これらは「古早味（グーザオウェイ）」と呼ばれる昔ながらのおやつ。枝仔冰はアイスキャンディー、芋仔冰と綿綿冰はアイス、泡泡冰はシロップと氷をブレンドし、空気を含ませジェラートのようにしたもの、清冰はシャーベットというのがイメージに近いかも。フレーバーもピーナッツ、タロイモ、小豆、龍眼→122/365、烏梅（ウーメイ）（梅の燻製）、パイナップル、パッションフルーツなど素朴で台湾らしい食材ばかり。お店もノスタルジックな雰囲気のところが多いので、見かけるとつい立ち寄りたくなります。

7月29日

夜市ステーキ

夜市といえば屋台のイメージですが、屋台の後ろには座って食事ができる飲食店がずらり。ここでしっかりと食事を済ませることも可能です。これまで色々な夜市に行きましたが、気づいたのはどの夜市も牛排（ニュウパイ）と呼ばれるステーキのお店が必ずあり、どこも賑わっていること。ひとつの夜市に何軒もの牛排店が点在しています。通称「夜市牛排」は勝手に味もそれなりだろうと思っていましたが、友人おすすめの夜市牛排店に連れて行ってもらうと、まさに侮るなかれ。厚切りサーロインステーキが250元。しっかり美味しく、その後お肉が食べたくなると恋しくなるほど。熱々の鉄板で提供され、お肉の下にはケチャップ味の麺。マッシュルームソースや黒胡椒ソースが定番ソースで焼き方も選べます。子どもの頃から家族でよく食べていたという人も多く、台湾人にとっては懐かしの味のひとつでもあるようです。

7月30日

台湾産うなぎとうなぎ屋さん

日本では「土用の丑の日」といえばうなぎ。スーパーなどでは台湾産のうなぎも並んでいるので、台湾でうなぎの養殖が行われていることはご存知の通り。1960年頃から本格的に養殖がはじまり、主な輸出先は日本です。台湾の気候を活かし、屋外でのびのびと育てられるうなぎは旨味も十分。もちろん、台湾でもうなぎを食べられるところはいくつもあり、土用の丑の日にうなぎを食べる文化こそありませんが、蒲焼きや白焼きなどをリーズナブルに堪能することができるので、年中お店は賑わっています。特に台北中山にある日本人街の林森北路(リンセンベイルー)は名店揃い。ミシュランの星を獲得したお店や、「肥前屋」という老舗では日本円1000円ほどで美味しいうな重をいただけるのでいつも行列。店内も活気ある日本の定食屋さんといった雰囲気で、一瞬どこにいるのかわからなくなるほどです。

31 | 七月

7月31日

万能薬膳食材の龍眼(ロンイエン)

ライチ →67/365 の季節が終わり寂しさを感じていると、今度はフレッシュの龍眼が並びはじめます。薬膳素材としても一般的で、その場合はドライの龍眼を使用しますが、殻のまま火鍋に入れたり、龍眼肉と呼ばれる果肉はそのまま食べたり、お茶や薬膳スイーツにと用途も多様。レーズンのような食感で、燻してあるため、スモーキーな香りが特徴です。効能は、身体を温める、精神を安定させる、貧血や疲労回復など。フレッシュはシーズンものな上に量も多いので、なかなか食べる機会もなかったのですが、ようやくはじめて口にした時はライチが終わったらこれを食べよう！と見た目からは想像できなかった美味しさに感激しました。ライチよりも小ぶりで種も大きいため可食部は少なく、甘さは控えめ。ジューシーさもあり、すっきりしていて食べやすい。酸味もほとんどありません。皮を剝くと名前の通り龍の眼のようで、とても神秘的なフルーツです。

8月1日

暑いからゆっくり歩く

暑い！という言葉しか出てこなくなる台湾の夏、外に出て少し歩くだけで滝のような汗が流れます。台湾人は慣れているのかなと思いきや、やっぱりみんな「很熱（ヘンルー）〜！」（暑い〜）と口々に言っているので、そりゃそうだよなと思いながら、笑い合います。照りつける日差しとじっとりとした湿度。日にも焼けたくないし、本気で命の危険を感じる時もあるので、可能な限り、日中はむやみやたらに出歩くことはしなくなります。そして、日の落ちた頃にのそのそと動き出すのです。この国がなぜあんなにも夜市があちこちにあり、そして百貨店なども営業時間が長いのか、すとんと腑に落ちる気がしました。台湾に来たばかりの頃、みんな歩くのが遅いなー、なんて思っていたのですが、真似てゆっくり歩いてみると、無駄な体力を消耗せずになんだかラク。何事も無理しないことが長い夏をストレスなく過ごすコツです。

8月2日

毎月旧暦2日16日は拜拜（パイパイ）の日

街を歩いていると、お店や会社の前にお供え物が置かれた小型のテーブルを出し、路上で紙を燃やしている光景によく出会います。これは「作牙（ズオヤー）」といい、土地の神様である「土地公（トゥディゴン）」に感謝を伝え、商売繁盛を祈っているのです。土地公は「福徳正神（フードゥチェンシェン）」とも呼ばれる道教の神様。台湾では「土地は五穀豊穣をもたらし、土地のあるところに富がある」とされているので、商売繁盛や金運の神様としてとても大切にされています。

毎月旧暦2日と16日が拜拜（お祈り）の日。用意するものは三牲（サンシェン）と言われる鶏・魚・豚肉、果物、飲み物、お菓子、そして紙のお金。このお金を最後に燃やしているのです。お菓子はスナックやインスタントラーメンなどが多く、三牲も素食用にパイナップルケーキなどのお菓子で作られたものなどもあります。自宅に土地公を祀っているお家は旧暦1日と15日に神棚の前で拜拜を行います。

8月3日

布市場と仕立屋さん

台北迪化街にある永樂市場は1階が食品を取り扱う伝統市場、2階が布市場、3階が仕立屋さんとなっています。特に2階はワンフロアすべてが布屋さん。100店舗近くのお店が並び、布に囲まれた細い通路はまるで迷路のよう。1度や2度の訪問ではどこになにがあるのかを把握するのは難しいくらいです。台湾製から輸入ものまで幅広く取り揃えているので、手芸好きの友人はずっとここに埋もれていたいとうっとりしていました。台湾の伝統的な花布→28/365もここなら必ず手に入ります。カットクロスは90cm × 90cmで100元前後。好きな長さが欲しい場合、台湾の布の単位は「碼（マー）」。ヤードのことで1碼＝約90cmです。好きな布を選んで3階の仕立屋さんで洋服やバッグ、小物などを仕立ててもらうこともちろん可能。中国語でのやりとりになりますが、サンプルを持って行けば、同じように作ってもらえるほか、チャイナドレスのオーダーもできます。

8月4日

迪化街でレトロ建築に泊まる

迪化街の魅力のひとつはバロック建築をはじめとした、歴史ある建築物がいまでも大切に使われていること。「三進式町屋」と呼ばれる建物も多く、メインストリートに面した一進の建物を進んでいくと中庭があり、二進、中庭、三進と建物が続き、裏通りへと繋がっています。間口は狭いですが中に入ると奥行きのある細長い造りになっていることがわかります。個人店の場合は一進が店舗、二進・三進が作業所や事務所、そして2階を住居としていることが多いようですが、現在はリノベーションし、それぞれにカフェや雑貨店などとして営業しているところも多く見られます。讀人館（ドゥレングァン）という宿泊施設はまさに三進式町屋の2階部分をリノベーションしたプチホテル。もとは国外の文化人向けの会員制ホテルでしたが、現在は誰でも宿泊が可能。館内はクラシカルな雰囲気で特別感のあるひとときを過ごせます。

5 | 八月

8月5日

暮らすように旅した迪化街

讀人館に2泊3日の日程で宿泊し、迪化街のあるエリア「大稲埕（ダーダオチェン）」から出ない旅をしたことがあります。飲食店はもちろん、市場からコンビニまで必要なお店はすべて揃っているので、不自由することはなく、もともと好きだった街で暮らすようにした旅は、観光客のいない早朝やひっそりとした夜の風景など、この街で暮らしている人だけが知っている一面を見ることができ、かけがえのない思い出として強く心に残っています。初日は日本語のできるスタッフさんと一緒に街歩き。建物の歴史や、いつも食べている美味しいものを教えてもらったり、同じく迪化街で働くお友達のお店でちょっと立ち話をしたり。2日めは友人が遊びに来てくれ、おしゃべりしながらまた街歩き。夕方は大稲埕埠頭に行き、夕陽を眺めながらビールで乾杯。日が暮れてからは迪化街の漢方を使用した火鍋で1日を締めくくりました。ひとつの街を突き詰めるのも楽しいものです。

128 / 365

8月6日

のどかな水辺スポット碧潭(ビータン)

MRT 松山新店線終点、新店(シンディェン)駅の裏側は「碧潭」と呼ばれる自然に囲まれた水辺のスポット。端午節 →83/365 にはドラゴンボートレースが開催されます。この先は山へと続き、原住民タイヤル族が暮らす「烏來(ウーライ)」→304/365 へ行くにはここからバスに乗り換えます。かつて「台湾八景十二勝」のひとつだった場所で、いまはスワンボートがぷかぷかと浮かぶ憩いの場。河岸には景色を楽しみながら食事ができる、オープンスタイルのレストランやカフェがあり、どこかリゾート風な造りになっています。大きな吊り橋は夜間ライトアップされ、向こう側は3つ星ホテルや小さな個人店が並ぶ、どこか地方の温泉地を思わせるローカルな雰囲気。淡水よりもコンパクトで人もそこまで多くないので、気軽にリフレッシュできるなかなかの穴場。一時期、この辺りに住んでいたこともあるので、私にとってはふらっとよく訪れていた思い出の場所です。

8月7日

身体を冷やす緑豆と美容にいいハトムギ

台湾の伝統的なスイーツの特徴はかき氷にしても豆花にしても、数種類のトッピングを楽しめること。大抵どのお店も10種類前後のトッピングが用意してあり、その中から3～4種類好きなものを選べるようになっています。小豆や白玉団子など馴染みのある素材もあれば、緑豆、ハトムギ、仙草など、どこか身体によさそうな素材も定番です。緑豆、仙草は身体を冷やす食材と言われているので、夏の暑い日にはぴったり。ハトムギは美白効果が期待できます。また、緑豆は小豆と同じくらい台湾ではよく目にする食材で、砂糖を入れて甘く煮たものをお汁粉のようにして食べたり、餡として中華菓子に使われていたり、ミルクと混ぜてシェークにした「綠豆沙（リュウドウサー）」は専門店もあるくらい人気のドリンク。タピオカもいいけれど、こういうヘルシースイーツの美味しさも日本にもっと広まってほしいと感じています。

8 | 八月

8月8日

8月8日はパパの日

8月8日は台湾では父の日。お父さんのことは日本と同じく「父親（フーチン）」、呼びかけの際には「爸爸（バーバ）」が一般的。その音からこの日が父の日「父（フー）親節（チンジエ）」とされたようです。盛大な母の日に比べると、盛り上がりはそこまでではないものの、食事をしたり、プレゼントをあげたりなど、日頃の感謝を伝える日というのは一緒です。父の日が近づくと、お洒落な父の日ケーキの広告が増えるため、台湾では父の日にもケーキを贈る習慣があるのかと思いきや、ネットサイトで見かけた50歳以上の父親を対象にした、もらって嬉しくないプレゼントランキング1位はなんとケーキや食品。2位がネクタイ、3位が万年筆でした。反対にもらって嬉しいものは半数以上が「家族の幸せが一番。子どもはお金を使う必要がないし、何もいらない」という回答で、2位が現金、3位がTSMC株。世代にもよりますが、家族愛と現実的なクールさが入り混じるところが中華圏らしいなと眺めていました。

8月9日

夏にぴったりな薬膳ドリンク・酸梅湯（スァンメイタン）

8月9日頃は立秋。台湾では暑さもピーク、夏の疲れも出やすい頃です。こういう時期におすすめされるのが薬膳ドリンクの酸梅湯。烏梅汁（ウーメイズー）とも呼ばれます。烏梅（ウーメイ）という梅を燻した生薬に山査子、陳皮、ローゼル、甘草などをブレンドし煮出したもので、それに砂糖や蜂蜜などで甘みをつけます。中医には酸っぱいものと甘いものを組み合わせると潤いを生み出す「酸甘化陰（スァンガンファイン）」という考え方があることから、酸梅湯は喉の渇きを癒し、潤いを与えてくれる理に適ったドリンクなのです。疲労回復や消化促進の効果もあるとされていて、火鍋店や熱炒（ルーチャオ）→150/365 などでもよく見かけ、ビールを飲まない人はよく酸梅湯を飲んでいるかも。烏梅のスモーキーな風味はクセもありますが、飲み慣れてくると逆にそれが美味しく感じられます。コンビニやスーパーでは紙パックやペットボトル、迪化街では材料をブレンドしたキットが売られているなど、広く飲まれているのがよくわかります。

10 | 八月

132 / 365

8月10日

ミシュランとビブグルマン

台湾では、2018年に初のミシュランガイド台北が発刊され、星を獲得したお店と、ビブグルマンを獲得したお店を発表。2021年からは台中、2022年には台南・高雄もエリアに加わり、街を歩けば、ミシュランのマークをあちらこちらで見かけるようになりました。レストランは予約が殺到、屋台料理もビブグルマンの対象になるので、ただでさえ人気のお店はますます行列に。お店のファンにとっては喜ばしいけれど、ちょっと複雑なところもあるようです。年数を重ね、ミシュラン常連店なども出てきていますが、中でもレジェンド的存在のお店は6年連続3つ星を獲得している「頤宮中餐廳（イーゴンチョンツァンティン）Le Palais」。台北駅に隣接している君品酒店（ジゥピンジィゥディェン）17階にある広東料理のレストランです。館内は料理をさらに引き立てるような絢爛たる中華風インテリア。サービスも申し分なしで、こちらでいただいた特製チャーシューとローストダックは思い出すたびうっとりしてしまいます。

8月11日

第2の都市台中は台湾人が暮らしたい街

台中は台湾第2の都市。台北から新幹線なら約1時間で到着します。気候が安定しているので、台湾人でも台中に住みたいという人が多い人気の街。台風の時でも台中は影響がないということも多く、北部が雨でも台中から南にかけては晴れているというのもよくあることです。

台中には3カ月の短期留学をするために部屋を借り住んだことがあります。決め手は、台北に比べると街も人もゆったりとしていて、言葉が不自由でも中国語を練習しながら生活がしやすいと情報サイトで目にしたから。確かにそれは間違いではなく、その後台北に遊びに行くと人の多さに、どっと疲れてしまったほど。台北にあるものはたいてい台中にもあるけれど、情報も少ないので、自分で調べて足を使い、開拓する楽しみなどもありました。適度なローカルさと都会さがほどよくミックスされた台中はいまでも大好きな街のひとつです。

8月12日

台中のランドマーク宮原眼科（ゴンユェンイェンクー）

台中を代表するスイーツショップ「宮原眼科」。日本人だとつい「みやはらがんか」と読んでしまう不思議な名前の由来は、日本統治時代の1927年に眼科医宮原武熊氏により開院した「宮原眼科」があったことから。建物も当時のものを使用しています。廃墟化していた上に、地震や台風の被害による損傷も激しい状態でしたが、宮原眼科を運営する日出グループが取り壊すことなくリノベーションを行い、台中のランドマークとも言われる、現在の建物にと生まれ変わったのです。お菓子もパッケージのひとつひとつが美しく上品なものばかり。台中以外では販売を行っていないため、ここでしか買えないという特別感もあります。ユニフォームにもこだわっていてとてもお洒落。なんと年8回もデザインチェンジするそうです。徹底したブランディングや世界観は本当に見事で、何度訪れても飽きることがありません。

8月13日

宮原眼科のアイスクリーム

宮原眼科といえば有名なのがアイスクリームです。店舗横にアイスクリームスタンドがあり、オリジナルフレーバーがずらり。台湾フルーツ、台湾茶、産地とカカオの比率が違うチョコレートなどが各々15種類ほど揃うほか、宮原眼科スペシャルというメニューも10種類ほどとその数はトータルで50種類以上！　そのどれもが台湾らしさを感じるものばかりです。シングル・ダブル・トリプルと選べるのですが、1スクープが大きいため、それだけでかなりのボリューム。さらに、このアイスのすごいところは最後に宮原眼科のお菓子を贅沢にトッピング。アイスの数だけトッピングを選べ、チーズケーキにクッキー、パイナップルケーキならなんとまるごと1個とサービス満点。完成品はかなりの盛りで、宮原眼科のアイスクリームこそが台湾の元祖映えスイーツなのです。

8月14日

台中のお気に入り定番スポット

以前、ツアー会社とコラボし、チャーター車で巡る台中の旅を考えたことがあります。まずは宮原眼科、軍人出身のおじいさんが自分の住む元軍人村に描いたポップでカラフルな壁画が可愛い彩虹眷村（ツァイホンジェンツン）、夕陽が綺麗で「天空の鏡」が見られる高美湿地（ガオメイシーディ）。この３カ所はそれぞれに距離があるので、チャーター旅のメリットを感じられるスポットです。そこに、伊東豊雄建築の台中国家歌劇院→348/365の見学と、かつての政府職員宿舎をカルチャースポットにリノベーションした審計新村（シェンジーシンツン）を組み合わせました。どこも台中観光の定番ですが、何度訪れても心ときめく好きな場所。ここに食事やお茶の場所を加えるのなら、風情ある茶芸館の無為草堂（ウーウェイツァオタン）やタピオカミルクティー発祥の春水堂（チュンシュイタン）創始店、ローカルグルメが堪能できる第二市場、小籠包が美味しい沁園春（シンユェンチュン）などを組み込みたいところ。どこも一度は訪れたい台中の名店です。

8月15日

癒しのスポット日月潭（リーユエタン）

美しい景色を眺めて癒されたい……。そんな気分になった時、真っ先に頭に思い浮かぶのは日月潭の幻想的な風景。台湾のちょうど中央にある日月潭はその昔、蒋介石の避暑地としての別荘があった場所。朝もやのかかった景色は水墨画のようだと例えられ、夕陽の美しさも格別。当時の別荘は現在、全室スイートという高級リゾートホテル「日月潭涵碧樓（リーユエタンハンピーロウ）（ザ・ラルー）」として生まれ変わり、客室からはその見事な景色が堪能できます。

日月潭の人気のアクティビティーといえばサイクリング。CNNトラベルの「世界で最も美しい10大サイクリングロード」にも選ばれたことから、ますます注目を集めるようになりました。日本人建築家の團紀彦氏が設計したスタイリッシュな向山ビジターセンターや湖が見渡せるパワースポットの文武廟（ウェンウーミャオ）など見どころも多く、この地で暮らす、原住民族のサオ族の文化にも触れることができます。

8月16日

1カ月続く鬼月（グイユエ）のはじまり

旧暦7月1日から7月29日までの約1カ月間、台湾では「鬼月」という期間に入ります。7月1日に「鬼門（グイメン）」、つまりあの世の扉が開き、ご先祖様や霊たちがこの世に戻ってくるとされています。日本のお盆に似ているような気もしますが、特に違うと感じるのは、霊の中にはこの世で罪を犯した悪い霊もいて、地獄の門も開くため、とにかくすべての霊がやって来るとのこと。ですが、そうした霊たちのことも、「好兄弟（ハオションディ）」と親しみを込めて呼び、この世を楽しみ悪さをせず、そして供養してもらうため、旧暦7月15日の中元節には「普渡（プードゥ）」という儀式を盛大に行い、もてなします。コンビニやスーパーなどではお供え用のスペシャルパッケージのお菓子などがこの時期は山積みに。広告やCMなどもお化けや霊が登場するものが多くなり、鬼月の訪れを実感します。

8月17日

鬼月(グイユエ)のタブー

鬼月の時には「好兄弟(ハオションディ)」が悪さをしないようにと、タブー視されていることがいくつもあります。よく聞くのが「夜はベランダに洗濯物を干してはいけない」、「夜に外出してはいけない」、「写真を撮らない」、「不動産・家・車などを買わない」、「結婚しない」、「引っ越さない」、「終電に乗らない」、「海に入らない」など、調べていくと40以上もの「してはいけない」ことが。いずれにしても、祝い事や目立つことなどは鬼月にはしない方がよさそうです。数あるタブーの中でもなかなか難しいなと思ったのが、「夜洗濯物を干さない」。服の形は人に似ているので、好兄弟を引き寄せやすいのだとか。でも、生活しているとそうはいかないのが実情です。シェアハウスで暮らしていた頃、台湾人はちゃんと守っているのかなと見てみると、いつもと変わらず。1日中ベランダには洗濯物が干してあり、やはり風習も人それぞれです。

8月18日

金針花（ジンジーホア）の咲く季節

スープの種類が豊富な台湾。はじめて飲んだスープはハマグリスープの蛤蜊湯（グーリータン）、2つめは酸辣湯。そして3つめは、長期滞在した際にチャレンジした金針鶏湯（ジンジージータン）でした。これは「金針」が謎食材でしたが、鶏が入るのならきっと間違いないだろうと注文してみたもの。届いたものは澄んだスープに骨付き鶏肉のぶつ切りと黄色いお花のつぼみがたっぷり。食べてみるとクセもなく、シャキャキの食感が気に入り、以降、金針のスープもよくオーダーするようになりました。このつぼみの正式名称は「金針花」。ユリ科の植物で鉄分がたっぷり。乾燥したものが食材店では売られていて、スープのほか、炒め物にも使われます。台東の太麻里（タイマーリー）には金針花の花畑があり、見頃は8～10月頃。一面オレンジ色に染まる景色を眺めに多くの観光客が訪れます。

19 | 八月

8月19日

チャイニーズバレンタインデーの花火大会

旧暦7月7日のチャイニーズバレンタインデー→144/365 に向けたイベントで毎年盛り上がるのが大稲埕（ダーダオチェン）で行われる花火大会。迪化街→12/365 のすぐ近くにある大稲埕埠頭。そこに隣接する延平河濱（イェンピンフーピン）公園にて20時頃から大きな花火が打ち上がります。恋人たちだけではなく、友人同士や家族連れなど、みなレジャーシートを持ち込んで、芝生に座りながら夏の夜を楽しみます。夕方からは人気アーティストによるコンサートやマーケットなども開催され、入場は無料。普段から大稲埕埠頭はアルコールも扱うコンテナ屋台が立ち並び、夜はその上から、まったりと飲みながらライトアップされた淡水河を眺めることのできるお気に入りの場所。晴れた日の夕方などは夕陽も綺麗に見えるので、そのくらいの時間からスタンバイしておくと素敵な景色が楽しめますよ。

8月20日

台湾で楽しむ各国のアジアごはん

台湾で暮らしていると、日本にいた頃よりもアジア各国のごはんを食べる機会が増えました。台湾にはインドネシア、ベトナム、フィリピン、タイからの外国人労働者や移民が多いので、その国の料理を提供する街の食堂が至るところにあるのです。日本ではわざわざ専門店に食べに行くメニューだった、フォーやグリーンカレー、ガパオライスにバインミーは食堂や屋台で気軽に味わえるメニューなので定期的に。ほかにも、シンガポールのチキンライス、海南鶏飯（ハイナンジーファン）や韓国料理も台湾では人気。MRT南勢角（ナンシージャオ）駅の近くにはミャンマー街があり、そこではじめて本格的なミャンマー料理を味わいました。タイ料理やベトナム料理などは、実際に本場で味わってみると、やはり素材が違う分、台湾風にアレンジしていることにも気がつくのですが、それでもごはんの選択肢が限りなくある台湾は、食に興味のある人にとってはたまらなく好奇心を刺激する場所です。

8月21日

美肌が多い台湾人女性

台湾で気をつけたいのは紫外線。さらには日焼けによる色素沈着も怖いので、手入れも慎重にならざるを得ないのですが、こんな過酷な環境のはずなのに、台湾人は肌がきれい。おばあちゃんたちもシワが少なく肌が潤っている方ばかりなのです。普段から水を多く飲んだり、フルーツを摂取したり、皮付き豚肉や豚足などコラーゲンの多い食事や、医食同源の食生活が根づいていることから、内側からのケアがしっかりできているのがまず前提にあると思うのですが、シートマスクやドクターズコスメの充実、中医や医療用レーザーなども気軽に試せる環境というのも大きいはず。じっとりとした湿度の高さは化粧崩れの敵ですが、台湾人女性は普段からノーメイクやナチュラルメイク派が多数。日本の冬のような、ピキピキと肌が粉を吹いてしまうような乾燥などにさらされることがないのも、やはり肌にとってはメリットですよね。

8月22日

七夕はバレンタインデー

旧暦7月7日は「七夕情人節（チーシーチンレンジェ）」、チャイニーズバレンタインデーです。情人（チンレン）は恋人のこと。それなら台湾の2月14日は？と思うかもしれませんが、新暦2月14日は「西洋情人節（シーヤンチンレンジェ）」と呼ばれ、こちらもしっかりバレンタインデー。台湾は2度バレンタインデーがあり、どちらも男性から女性にプレゼントを贈るのが一般的。日本でもリメイクされた台湾映画『1秒先の彼女』の原題は『消失的情人節』。この日を描いた映画です。どちらかというと2月より旧暦7月の七夕情人節の方が重要視されているようで、迪化街の埠頭では毎年バレンタイン花火イベントを開催→141/365、街を歩けば花束やプレゼントの紙袋を手にした女性の姿を目にします。また、この日は子どもの守り神、七娘媽（チーニャンマー）（織姫）の誕生日ともされていて、子どものいる家庭では油飯と麻油鶏、中央がへこんだ白玉団子の糖粿（タングオ）などをお供えし、お祈りするという風習もあります。

白きくらげの養生スイーツ

8月23日頃は二十四節気の處暑。暑さが退くという意味ですが、台湾においてはまだまだ秋の気配は全く感じず、暑さが退くどころか猛暑という言葉の方がぴったりです。鬼月（グイユエ）→138/365の最中ということもあり、早寝早起きを心がけ、夏に浮かれることなく生活を整えるよう意識する期間。處暑の養生は、秋の乾燥に備えるため、辛すぎるものは控え、水分を多く摂り、肺に潤いのあるものを食べるといいとされています。台湾に来てからよく食べるようになったスイーツに「銀耳紅棗枸杞湯（インアーホンザオクージータン）」という白キクラゲ（銀耳）とナツメとクコのシロップ煮があるのですが、これもまさに養生食。白キクラゲは肌や肺に潤いを与えるとされていて、お店によっては豆花などのトッピングに用意されていることもあるので、美容も意識し選ぶことも多い食材。よく煮込むとトロトロになり、冷やして食べても美味しいので、暑い日のデザートにもぴったりなのです。

8月24日

実は冷たくない涼麵(リャンミェン)

「涼麵」という文字を見て「よし、今日はきりっと冷たい麺だ！」と張りきって注文すると、出てきたのは常温のどこかぼそぼそとした麺に、胡瓜の千切りとにんにくのトッピング、そしてたっぷりと胡麻ダレがかかったもの。何軒か美味しいと評判のお店を回ってもこうだったので、おそらくこれが涼麵のスタンダード。そして合わせるのは甘い味噌汁（台湾の味噌が甘いのです）が定番です。さらに調味料としてテーブルに置いてあるのは鮮やかなグリーン色をした粉わさびの水溶きと、初の涼麵体験は想像を超えることばかり。しかし、不思議なことに味の決め手となる濃厚なゴマだれの風味とこのモソモソ麺が食べていくうちに妙にはまり、わさびでの味変も絶妙な美味しさ。手軽なこともあり、結構な頻度で食べる麺になりました。24時間営業や深夜営業しているお店もあり、そういうお店ではよくクラブ帰りの若者たちが涼麵をすすっています。

8月25日

身体をいたわる昼寝の習慣

食後に睡魔が襲い、勉強やデスクワークがしんどいということはきっと誰にでもありますよね。眠気防止に少しだけ仮眠をとるといいという説もありますが、実際はなかなか難しいもの。私も昼過ぎの睡魔とはよく闘っているのですが、台湾で羨ましいと心底感じたのは学校や職場で堂々と昼寝をしていいということ。むしろそれが推奨されています。小中高では、ごはんを食べた後の30分は昼寝の時間とされ自分の机で昼寝をするのが義務。義務となると嫌な子もいるかもしれませんが、昼寝もまた中医に基づく「子午覺（ズーウージャオ）」という養生のひとつ。昼に短い睡眠をとることで、身体をいたわり午後の集中力を高めます。大学からはもう強制ではありませんが、習慣として会社でも昼になると電気を消し、昼寝環境を作るところは多くあります。午睡枕（ウーシュイチェン）という、うつ伏せ寝用の枕も売られているので、オフィスに持ち込み、それを使って昼寝している人も少なくありません。

8月26日

シャンプーと固形石鹸

台湾で日用品を買いに行くとシャンプー、洗剤の類はほとんどが大きなボトルばかり。特にシャンプーは日本のドラッグストアより多いのではというくらいの品揃えで、台湾製以外にも、日本製、韓国製、そのほかにもヨーロッパからの輸入品など、馴染みのないメーカーのものが多数並んでいます。物価も日用品の類は特に安いわけでもないため、暮らしはじめの頃は何がいいのかわからず困ったことがあります。家族で住むことが多い台湾では、小さなボトルではすぐになくなってしまうのかもしれませんね。固形石鹸も種類が豊富ですが、逆にこちらは知っている台湾製のブランドも多かったので、台湾の天然ハーブや素材を使用した「阿原（アーユエン）」や「大春（ダーチュン）」、生姜コスメの「薑心比心（ジャンシンビーシン）」や漢方薬局「生元藥行（シェンユェンヤオハン）」→294/365 などの石鹸をリピートしたり、気になるものを試したりしています。どれも使い心地も香りもよく、お土産にしても台湾らしさがあるので喜ばれます。

27 | 八月

8月27日

台湾人でも迷子になる台北駅地下街

外を歩くだけですぐに汗だくになる真夏の台湾。地下があれば迷わずそちらを選びます。台北駅の地下は巨大な地下街。中山駅まで行ける「R區」、北門駅や空港線、バスターミナルと繋がっている「Y區」、台北駅前の幹線道路と繋がる「Z區」、そしてY區とZ區の間にある「K區」という4つのエリアに分かれています。K區は運営が違うためどこか洒落た雰囲気ですが、それ以外のエリアは昔ながらの名店街。特に全長825mのY區は、東南アジアのバラエティーストア、チャイナ服などの衣料品やパワーストーン、ちょっとオタクなゲーム店、そして北門駅付近は、本格的な東南アジア系食堂が立ち並び、かなりのカオス度。でもその感じがたまらなく好きで、一番うろつくエリアです。ただこの台北駅地下街、相当入り組んでいるため、「巨大地下迷宮」とも呼ばれ、台湾人でも迷子になるほど。迷ったら一度地上に出てみることをおすすめします。

8月28日

台湾式居酒屋の熱炒(ルーチャオ)

夜に街を歩いていると、店頭に魚介が並び、オープンスタイルの店内では多くの人がテーブルいっぱいに料理を広げ、ビールを飲みながらわいわいがやがやと楽しそうにしている様子をよく見かけます。これは台湾式居酒屋の「熱炒」。その名の通り、ジャッと強火で炒めた料理を中心に安くて美味しい食事を楽しめる場所。店頭の魚介は好みの調理法で料理してもらえるほか、メニューも豊富で1皿100元ほどの料理が揃います。鍋や客家料理などもあるので、台湾の定番メニューを味わいたければ熱炒はまさに絶好の場所。冷蔵庫に入っているビールは自分で勝手に持ってきて、最後に空いた本数をカウントしてお会計。気楽さもたまりません。ただ、かなり賑やかなので、落ち着いて話をしたい時には全く向かない場所。帰る頃には自分の声もガラガラになるほどですが、それでもあの雰囲気が好きで、気の置けない友人との食事に選びがちです。

8月29日

行天宮(シンテェンゴン)と収驚(ショウジン)

台湾ではどこを歩いていても寺廟があるので、自然と手を合わせる回数が増え、お参りにもよく足を運ぶようになりました。なかでも商売の神様「関聖帝君（関羽）」を主神とする行天宮は、神聖さと開放感を感じられる境内の雰囲気や、迫力ある前殿とその門（三川殿）の鮮やかな赤色など、どこか心惹かれる要素が多く、仕事での成功を祈願したい時もそうですが、気合を入れたい時や、浄化させたいモヤモヤとしたなにかを感じる時などにも訪れることが多い場所です。また、ここでは参拝者に対し、驚いたり、ショックを受けたりした時に抜けてしまった魂を身体に戻すという「収驚」という儀式を無料で行っています。名前を伝えるだけでよく、数分で終わる儀式ですが終わった後にはどこか清々しく、穏やかな気持ちになります。

8月30日

中元節の儀式

1カ月にわたる長い鬼月（グイユエ）→138/365。ちょうど鬼月の折り返しにあたる旧暦7月15日は中元節。祝日ではありませんが、好兄弟を供養するための「中元普渡（チョンユェンプードゥ）」という儀式が盛大に行われ、未来1年の平安を祈ります。家庭だけではなく会社でも行われ、室内で行うのはタブーのため、会社がビルにある場合は玄関前にて合同で儀式が行われます。儀式は午後に行われ、「三牲四果（サンシェンスーグォ）」と呼ばれる丸鶏と魚、皮付き豚肉、四季の果物を奇数お供えするのが伝統ですが、さらに大量のお菓子やカップラーメン、飲み物、金紙などもあわせて用意します。合同の場合は会社ごとにお供え物を並べるのでそれだけでもかなりの数。好兄弟にわかるよう線香をそれぞれのお供え物に刺すというのも儀式のひとつです。通りすがりの観光客からすると不思議な光景かもしれませんが、信仰心が厚い台湾らしいひとこまです。

31 | 八月

153 / 365

8月31日

お供え物のルールとタブー

「中元普渡（チョンユェンプードゥ）」のお供え物の中には季節のフルーツがありますが、やはりいくつかの決まり事があるようです。まず果物はカットせず、3、5、7などの奇数で用意。タブーとされるのはバナナ、スモモ、梨を一緒にお供えすること。これは台湾語の音が「招你來（あなたを呼んでいる）」という意味と同じになるため。通常なら縁起がいいとされるパイナップルやぶどうなども好兄弟を呼び寄せるためNG。りんご、ドラゴンフルーツ、キウイフルーツ、龍眼などが定番です。そのほか、スナック菓子の「乖乖（グァイグァイ）」もよく見かけます。乖乖は「いい子いい子」という意味で、子どもをあやす時の言葉。緑の袋のものがお供え物に使われるほか、パソコン等、機械のそばに置き、エラーが起きないよう祈るという、台湾人なら誰もが知る願掛けにも使われます。

1 | 九月

154
/
365

9月1日

新学期がはじまる９月は引っ越しシーズン

台湾の学校は９月が新学期。引っ越しシーズンでもあり、部屋探しもいい部屋はすぐに埋まってしまうなどなかなか大変です。部屋探しの方法も色々ありますが、主流なのはネットにある不動産サイトにアクセスし、自分で大家さんにアポを取り、部屋を見せてもらい個人で契約するという流れ。「591房屋交易網（ファンウージャオイーワン）」というサイトが最も有名で、部屋探しをしたことがある人は大抵使ったことがあるはず。「租屋（ズーウー）」というのが賃貸のことで、ファミリー向け物件が「整層住家（チェンツォンチュジャ）」、バス・トイレ付きの一人暮らし用物件が「獨立住房（ドゥリーチュファン）」、ルームシェア用物件が「雅房（ヤーファン）」です。希望する地区と組み合わせ、ニーズに合わせて検索ができるようになっているのですが、これがなかなかシビア。家賃の高さや部屋の設備など、台湾暮らしの理想と現実をまずここで知ることになります。

2 ｜九月

9月2日

新生活がスマートにはじめられる理由

旅行では気にしていなかったけれど、現地に住んで大助かりだったのが、台湾にはダイソー・ニトリ・IKEAがいくつもあること。特にMRT台北小巨蛋（シャオジュダン）駅近くにあるニトリとIKEAは同じビルにある上に、ほかの店舗より面積も狭いので買い物もしやすく、なにより気軽に行ける場所。台北で新生活をはじめる人は、ほぼそこに行っているのではというくらい利用者が多いお店です。賃貸物件も台湾では家具・家電がついている部屋がほとんど。契約さえすれば、物理的にはすぐに生活をはじめられる環境です。ダイソーは39元均一、ニトリも台湾価格なので、日本よりも割高ですが、それでも馴染みの日用品が簡単に手に入る安心感は相当です。実際、台湾の日用品は思うほど安くないというのが現状で、ローカルカフェやホステルなどに行くと、手頃で使い勝手のいいIKEAの商品をよく見かけます。

9月3日

中正紀念堂に思うこと

真っ白な外壁とそのスケールに圧倒される中正紀念堂。台北の中心部にあるため、タクシーに乗車するとよくこの前を通るのですが、台北101同様、ここもまた目にすることで台湾にいる実感が湧いていた建物です。中正とは中華民国初代総統である蔣介石の別名。蔣介石が他界した後、哀悼の意を表すことを目的に建設され、観光名物の衛兵交代式が行われるホールには巨大な蔣介石のブロンズ像が鎮座しています。台湾の歴史を知ると、台湾らしさを感じていたこの建物にも複雑な気持ちが湧いてしまいました。ですが、日常では市民の憩いの場として、定期的にイベントが開催され、早朝は太極拳、日中は散歩する親子連れ、夕方はダンスの練習をする学生たち、そして夜はマラソンをする人々などほのぼのとした光景が見られる気持ちのいい場所。夜のライトアップや、両サイドにある演劇場と音楽ホールなどは、いつ見てもその宮廷風建築の美しさに見とれてしまいます。

9月4日

本当はちょっとうれしい台風休暇

9月はまさに台風シーズン。直撃することも多いので、旅行を計画していても台風の影響でフライトが突然欠航になることも少なくありません。台湾では大型台風が発生し、翌日も天候が荒れるだろうと政府が判断した場合、国民の安全を守るため、学校や会社が休みになる「停班停課（ティンバンティンクー）」という制度があります。お知らせは政府のLINEやTVニュースの字幕などで一斉に発信されるため、誰でもすぐにわかるようになっています。すでに接近しそうな時には商業施設なども早めに閉店し、従業員を帰宅させるなどの対策もとられます。ただし天候は変わりやすいもの。幸い、途中で勢力が弱まるなどして、翌日はただの雨の日などということもよくあり、そうなると一般市民にとってはただの休日。営業しているカラオケや映画館などに繰り出し、突然の休日をみなかなり満喫している様子です。

9月5日

台湾のポストと曲がったポスト

台湾のポストは赤と緑。2色並んで設置されています。緑が国内専用で、赤が速達とエアメール用。形状も様々で、歩道に置かれているのが主流ですが、壁に設置されている小さめサイズのものや、1台のポストが2色に分けて塗られているものも。台湾雑貨のモチーフになることもある、どこか可愛い存在です。台湾には、誰もが知っている有名ポストがあるのですが、それは台北のセブンイレブン龍京店前にある「歪腰郵筒（ワイヤオヨウトン）」。2015年8月に発生した台風13号の影響で、落下した看板が当たり、赤ポストと緑ポストがともに、まるで体を傾けたかのように曲がってしまったのです。これが「可愛い！」、「萌だ！」と瞬く間に話題に。「微笑萌郵筒（ウェイシャオモンヨウトン）」とも呼ばれ、一時は見物人で付近が渋滞になるほど。郵便局により移設の話もありましたが、ここにあるからこそ価値があるのだと市民の反対を受け、いまでも現役で働いています。

9月6日

コンビニで仕入れる朝ごはんとドリンク

語学学校の授業の時間はクラスによって様々。朝8時からという時があり、もともと早起きは苦手。学校1階にあるコンビニ、もしくは近くの朝食店で冷たい豆乳を購入し滑り込む毎日。学校では、朝ごはんを食べながら授業を受けてもいいのです。コンビニで買うのはサンドイッチやおにぎりなど日本のコンビニと同様ですが、時には焼き芋を選ぶことも。レジで重さを量り、グラムで値段が決まる方式で、お店で焼いているので熱々。コーヒーも販売しているので、拿鐵《ナーティエ》（ラテ）または美式咖啡《メイシーカーフェイ》（アメリカーノ）を気分で購入します。注文では、大中小のサイズ、熱《ルー》（ホット）または冰《ビン》（アイス）、そしてドリンク名を伝え完了。例えば大サイズのホットラテであれば「大熱拿《ダールーナー》」、中サイズのアイスアメリカーノであれば「中冰美式《チョンビンメイシー》」など定番メニューは略して伝えるのが台湾流。こうした、ちょっとしたことが言えるようになるだけで嬉しいものでした。

9月7日

コンビニで楽しむグルメ

台湾の主要コンビニはセブンイレブン、ファミリーマート、ハイライフ。コンビニ同士が隣り合うほど乱立しています。淹れたてのコーヒーが買えるのも、休憩スペースがあるのも、日本よりも台湾の方がずっと先に行っていたサービス。サービスの多様化もそうですが、近頃はキャラクターとのコラボ店舗なども増えていて、とにかく進化が止まらない場所。昔からの定番商品は焼き芋→159/365、漢方煮卵の茶葉蛋（チャイエダン）、セブンイレブンではソーセージを回転させながら焼く機械を設置していて、パンに挟んでセルフでホットドッグが作れます。ファミマではソフトクリームが人気。限定フレーバーも頻繁に登場するので毎回楽しみにしています。お弁当は近頃有名店とのコラボをよく行っていて、鼎泰豐（ディンタイフォン）の炒飯や麻婆豆腐などもお手頃価格で販売しています。行くたびになにかしらの発見があるので、コンビニ通いもほぼ日課です。

9月8日

秋におすすめの食材・杏仁（シンレン）

9月8日頃は二十四節気の白露。気温も30℃前後の日が多く、まだまだ夏。それでも一般的には白露から日に日に夜が涼しくなっていくと言われ、中医では秋の乾燥から肺を守るため、潤いを与える養生食を取り入れるよう推奨されます。食材ではハスの実、ゆり根、杏仁、梨など。山芋、昆布、オクラなど粘り気のあるものもいいそうです。

杏仁といえば杏仁豆腐しか知りませんでしたが、台湾では杏仁茶もよく飲まれていて、街を歩けば専門店もあるほど。スーパーなどでもお湯で溶かして飲むインスタントのものが販売されているなど、とても身近な養生ドリンクです。杏仁とは杏の種の中にある仁で、これをすり潰したものを杏仁茶や杏仁豆腐として使用します。専門店でいただくものはやはり香りも格段に違います。迪化街の夏樹甜品（シァシュテェンピン）や西門の于記杏仁（ユージーシンレン）では杏仁をかき氷にしたものもあり、まだまだ暑い白露の頃にいただくのにぴったりのスイーツです。

9月9日

台湾人のヘルシーさに刺激をもらう

台湾人はヘルシーというのが私の印象。薬膳などの食生活だけではなく、こまめに身体を動かしているところもよく目にするからです。中高年の方々は早朝から公園で太極拳や体操をしているし、公園では誰もがマラソンやウォーキング、バスケットコートも多いので、夜遅くまで若者が楽しそうに汗を流しているのも日常の光景。スポーツジムも至るところにあり早朝から深夜まで営業しているほか、エリアごとに大型の公共スポーツセンター「運動中心(ユンドンチョンシン)」なども充実。トレーニングルームは1時間50元ほどで利用することができるので、語学学校の同級生は中山の運動中心でよく身体を動かしていました。台北アリーナ近くの屋外競技場には、暖身場(ヌァンシェンチャン)と呼ばれる全長300mのトラックが設置されているのですが、夜にライトアップされたトラックはなんだか美しく、走る人たちを見ていると、自分も頑張ろうと気分が高まり、勝手に刺激をもらっています。

9月10日

ライトレールで巡るアートな街・高雄

台湾南部にある高雄は台湾第3の都市で港町。街の中心を流れる愛河（アイフー）ではクルーズ船が運航しています。高雄ミュージックセンターなど、近未来的な建築物が多いので、都会的な印象でしたが、街を歩くとローカルな場所の方がまだまだ多く、流れもゆったり。人も温かく、港町特有の空気感は自分の生まれ故郷にもどこか似ていて、すぐに溶け込みました。街の至るところにアートがあり、日本人建築家の高松伸氏によって設計された美麗島駅（メイリータオ）や、駅構内にある巨大なステンドグラスは見応えのある美しさ。ベイエリアの駁二（ボウアール）芸術特区はアートとともに、倉庫を利用した施設でグルメやショッピングも楽しめるお気に入りのスポットです。地上を走行するライトレールはベイエリアをはじめ、高雄らしさのある景色を眺めながら、観光スポットを回れるおすすめの乗り物。ローカルエリアでは民家の壁がカラフルにペイントしてあり、可愛い風景にも沢山出会えます。

9月11日

フォトジェニックな龍虎塔（ロンフーター）で厄落とし

高雄といえば、蓮池潭（リェンチータン）にある「龍虎塔」は外せないスポット。新幹線駅と同じ左營（ズオイン）エリアにあるので、駅からタクシーを利用すると10分ほどで訪れることができます。ザ・中華建築といった華やかな色使いとデザイン、そして近づいてみると愛らしくもある龍と虎はいつ見てもフォトジェニックで、気分が高まるパワースポット。青空の下でも映えますが、ライトアップされた夜間も非常に幻想的でいい雰囲気。大きく口が開かれた龍と虎は中に入ることができ、龍の口から入り、虎の口から出ることで、「趨吉避凶（チージービーション）」（吉に赴き、凶を避ける）と言われています。七重塔となっていて、自由に登ることが可能。なかなかハードですが、蓮池譚は池の周りを囲むように、いくつもの廟（びょう）や、すぐ近くには同じく龍のオブジェと中華建築が美しい春秋閣（チュンチウグー）などがあり、それらを一望することができます。

12 | 九月

9月12日

高雄といえばパパイヤミルク

高雄で必ず飲むのがパパイヤミルクの「木瓜牛奶（ムーグアニュウナイ）」。台湾のフルーツジュース店ではどこでも飲めるドリンクですが、発祥は高雄にある「高雄牛乳大王（ガオションニゥルーダーワン）」と言われています。1966年創業の老舗で、ドリンク以外にもハンバーガーをはじめとした軽食を取り扱うファストフードのようなお店。どこかレトロで、カップのデザインもファンシーで可愛い。せっかくならここで休憩していこうと訪れたくなる魅力があります。肝心の味も、最初はどうかな……とドキドキしながら飲みましたが、あっという間に飲み干してしまったくらいに美味。台湾のパパイヤは人参のような濃い色をしていて、甘く濃厚。パパイヤ独特のクセがなく、そのまま食べても美味しいのですが、ミルクと合わせることでよりクリーミーでまろやかに。まさに南国の美味なる1杯。酵素やビタミンCを多く含んでいるので、美肌になれる美容ドリンクとしても愛されています。

9月13日

バナナの郷でようやく出会ったバナナスイーツ

日本では高級フルーツの台湾バナナ。台湾では年間通して収穫され、品種も様々。市場へ行くとこれまで見たことのない色や形のバナナが並んでいて、もちろん値段もお手頃。色々食べ比べをしたくなります。それくらいバナナは身近なフルーツですが、お土産品としての印象が少ない上に、日常でバナナブレッドやバナナマフィンなどの素朴な焼き菓子が食べたいと、パン屋さんやケーキ屋さんを覗いてみても、タロイモやマンゴー、パイナップルのお菓子はあれども、バナナスイーツにはなかなか出会えず。しかし、高雄から1時間ほどの、旗山（チーシャン）という街は「バナナの郷」と呼ばれ、老街ではバナナスイーツのお店がいくつも点在！　ベーカリーの吉美麵包店（ジーメイミェンバオディェン）では、探していた素朴なバナナケーキをようやく発見。ほかにも枝仔冰城（チーザイビンチャン）のバナナパフェや月亮香蕉冰紅茶（ユエリャンシャンジャオビンホンチャ）のバナナシャーベット入り紅茶など、心ときめくバナナスイーツはここにあったのでした。

14 | 九月

9月14日

台湾のエスニックグループとバスのアナウンス

台北の公共交通機関では主に公用語の中国語、台湾語、客家語、英語と4つの言語でアナウンスがされています。特に台北の路線バスなどは停留所の間隔が短いので、アナウンスが終わる前に次のバス停に着きそうになるなんていうことも。ですが、こういう日常的なことでも台湾には多用な言語が存在しているのだということがわかります。

言語の歴史は17～18世紀頃福建省南部から渡ってきた人々が閩南語または福佬語とも言われる台湾語、広東省東北部や福建省西部から渡ってきた客家人が客家語を使用していました。世代が変わり、台湾語も客家語もわからないという台湾人も増えていますが、現在も特に南部での日常会話は台湾語が多く、逆に中国語が話せないという高齢者の方も少なくありません。

15 | 九月

9月15日

膨大なテレビチャンネルと字幕

最近は動画配信サービスやYouTubeが台湾でも人気なので、テレビ離れが進んでいるのは日本と同じですが、台湾のテレビの特徴といえばやはりチャンネル数の多さ。100チャンネル以上の番組を常時視聴することができます。再放送が多いですが、ニュースだけでも数チャンネルあり、24時間放送しているので、いつでも情報を知ることができます。また、バスのアナウンス→167/365と同じように、台湾語、客家語、そして原住民族チャンネルなどもあり、それぞれの言語でニュースや天気予報が伝えられます。日本チャンネルもあり、ドラマやバラエティー、アニメなどが放送されているので、これで日本語を覚えたという友人も。逆に私のような外国人にとってありがたいのが、台湾のテレビ番組にはすべて中国語の字幕がついていること。聴き取りだけではわからないことも文字を見ると把握できることが多いので、とても助けられています。

9月16日

週末開催ファーマーズマーケット

週末、台湾では、各地で大小様々な規模のマーケットが開催されます。中でも台北中心部で開催されているファーマーズマーケット「台北希望廣場（タイペイシーワングァンチャン）」は台湾各地から選りすぐりの生産者さんが集まることで有名なマーケット。オーガニックのものも多く、産地直送の新鮮な旬のフルーツや野菜はひとつひとつが高品質。生鮮食品のほかにはお茶やコーヒー、ドライフルーツ、蜂蜜など、ラインナップも幅広く、台湾産のまさにいいものがずらりと並んでいます。生花やフード屋台のコーナーもあり、食に興味のある人なら、スーパーや伝統市場とはまたひと味違うラインナップにきっとワクワクするはずです。生産者さんとのコミュニケーションも楽しく、気軽に試食をさせてもらったり、例えばバナナ１本でもここなら笑顔で応じてくれたりと、優しい空気が流れている場所です。

9月17日

お菓子屋さんの大行列

旧暦8月15日の中秋節が近づくと、台湾では月餅などを贈り合う文化があるため、街のお菓子屋さんは大忙し。一般的に日本で月餅として売られているものは「經典月餅（ジンディェンユエビン）」「廣式月餅（グァンシーユエビン）」と呼ばれ、そのほか、ソフトなパイ生地に小豆餡と卵の黄身の塩漬けが包まれた「蛋黄酥（ダンホァンスー）」も月餅の一種として台湾ではとても人気があります。どのお店も豪華な専用ボックスが用意され、5つ星ホテルや宮原眼科→134/365などパッケージにも定評があるお店のオリジナルギフトはため息ものの美しさ。WEBメディアなどでもおすすめギフト特集などが組まれるので、それを眺めるのも毎年の楽しみです。近頃はオンラインでの購入が主流ですが、台北の「佳徳糕餅（ジャーダーガオビン）」などの老舗人気店では、毎年この時期は数時間待ちの行列。知らずに旅行で訪れると何事かと驚いてしまう光景です。

18 | 九月

9月18日

文旦が出回る季節

月餅以外に、中秋節といえば文旦もおなじみのフルーツ。「柚子（ヨウズ）」とも呼ばれ、英語名はポメロですが、日本の文旦や香港やシンガポールで見かけたポメロとも見た目も味も違います。台湾の文旦は柔らかな緑色。アボカドや洋梨のような形をしています。柚子は子どもを守るという意味の「佑子（ヨウズ）」と同じ発音ということから、やはり縁起のいい食べ物。中秋節のギフトとしても贈り合います。ほぼ酸味がなく、優しい甘さとぷりぷりとした食感が他の柑橘類とはひと味違うところ。ユニークなのが、文旦を顔に見立て絵を描いたり、剝いた皮を帽子のように被ったりするのが定番の楽しみ方。ただ、「文旦大好き！」と台湾人に言うと、「実はカロリーが高いから気をつけてね！」とよく言われるのですが、1個当たり120kcal前後。ビタミンCと食物繊維も豊富なので、適量であれば美容にもいいフルーツです。

9月19日

タクシーでよく見かける玉蘭花(ユーランホァ)

タクシーに乗ると、針金で白い花のつぼみを３つくらい繋げたものをエアコンの吹き出し口などに引っ掛けてあるのをよく見かけます。お花を飾ってあるなんて可愛いな、くらいの感じで見ていましたが、その後、路上や特に廟(びょう)の近くで高齢の方があの花を手売りしているのが台湾の日常風景なのだということがわかりました。花の名前は玉蘭花、英語名はマグノリアです。廟の前で売られていたのは神様にお供えするお花だから。確かに龍山寺に行った際、注目して見てみると参拝客が持ち込んだお供え物の中に玉蘭花がありました。ふんわりとジャスミンのような甘い香りを放つので車や部屋では芳香剤のように使うこともあると聞き、すべてが繋がりました。最近では少なくなりましたが、以前は信号待ちをしている車に近づいてお花を売っていたそうで、そういうことからもタクシーでよく見かける花のイメージだったのかもしれません。

20 | 九月

9月20日

カウントダウン信号機

台湾での日々の生活で、ちょっとしたことだけれど便利だなと思ったのが、横断歩道に設置されている信号機。形は日本と同じような縦型で、上が赤信号、下が青信号なのも一緒です。違うのが、青信号の時には上部に数字が出て、赤になるまでのカウントダウンをしてくれること。しかも、人型のシルエットがアニメーションになっていて、残り時間が少なくなってくると、ちゃんと小走りでお知らせしてくれるのです。どこかユーモアと親しみやすさを感じる信号機。愛称もしっかりあって、このカウントダウン式信号機のことを台湾では「小緑人（シャオリュウレン）」と呼んでいます。信号機以外にも、台湾では、MRTやバス停でも改札や停留所の前には、次の車両が到着するまであと何分といった時間が表示されるようになっていて、急いでいる時だけではなく、逆に気持ちにゆとりができることもあるので、とても重宝しています。

台湾ヴィンテージの食器

台湾の古い食器が好きで、手頃な値段で好みのものを見かけた時に少しずつ買い集めています。どこか昭和レトロを感じさせる花柄などの西洋風なデザインが可愛くて、特にそれらの食器と出会える確率の高い、日用雑貨を扱う個人店「五金行（ウージンハン）」は見かけたらふらふらとお店の中に吸い込まれてしまいます。その昔、雑誌ananの台湾特集で岡尾美代子さんが紹介していたのをきっかけに興味を持ったピンクのバラ柄の食器→255/365は、水餃子屋さんなどの食堂で目にする機会も多いのですが、製造はすでに中止。ひょっこり新品に出会うと嬉しい気持ちになります。台湾ではガラクタ市的な蚤の市もよく開催されているのですが、そこもまた台湾ヴィンテージの宝庫。ヨーロッパのようなお洒落な雰囲気はゼロの、どローカルなマーケットですが、好きな人にはたまらない、宝物に出会える場所なのです。

9月22日

台湾で楽しむアフタヌーンティー

台湾でもアフタヌーンティーは昔から人気です。「下午茶（シャウーチャ）」と呼ばれ、ホテルやカフェではケーキスタンドにセットされた可愛らしく手の込んだセットなどをいただくことができます。ラグジュアリーな空間で、英国式のアフタヌーンティーをいただけるマンダリンオリエンタル台北はすべてが極上。もちろん人気のため、予約もすぐにいっぱいになってしまうのですが、あの優雅で美しいアフタヌーンティーを1度体験すると、2度、3度とメニューが変わるたびに行きたくなる魔法にかかるはず。他にも、台北101を眺めながら楽しめるW台北やシャングリラ台北、故宮博物院隣にあるリージェント台北系列のレストラン「故宮晶華（グーゴンジンホァ）」では中華菓子などを組み合わせた故宮らしさのあるセットなどを提供しているので、ひと味違った下午茶を楽しむことができます。

23 | 九月

9月23日

秋分の頃には白い食べ物で養肺する

9月23日頃は二十四節気の秋分。夜が少しずつ長くなり、まだまだ半袖を着ている頃ですが、夏の終わりの合図。少しずつ秋らしさも感じられるようになってきます。白露→161/365に続き、秋分の頃も体調不良に繋がる乾燥に気をつけ、肺を潤す食材の摂取をおすすめされる時期。特に、ゆり根、蓮根、大根、梨、キクラゲ、山芋などの白い食材は秋の養肺食材とされています。日本にいると「肺を潤す」ということはあまり考えたことがなかったので、これらは台湾で学んだこと。大根は台湾でもおなじみの食材で、大根とスペアリブのシンプルなスープ「排骨湯(パイグータン)」などはどこでも味わえる定番スープ。特に大稲埕の慈聖宮(ツーシェンゴン)にある屋台の排骨湯は絶品で、台湾スープの魅力を堪能できます。排骨湯は電鍋でも材料を入れ煮込み、塩で味をつけるだけで滋味深いスープができ上がるので、こういう時期には特に作りたくなるスープです。

9月24日

スクーターと交通マナー

スクーターだらけの道路が度々メディアで映し出されるように、台湾ではスクーター・バイクなどの二輪車人口が日本に比べて圧倒的に多く、保有率は日本が100人当たり約9台なのに対し、台湾では100人当たり60台以上。2人に1人が保有していることになります。友人はとにかく歩きたくないから、少しの距離でも絶対にスクーターに乗ると笑っていました。ただ、歩行者にとってはこれだけ数が多いと、危険の数も増えるということ。狭い路地でも飛ばしている人がいるのは日常で、横断歩道のない場所での帰宅ラッシュに遭遇した時には、なかなか渡れず困ったこともありました。従来、台湾は歩行者優先の考え方ではなかったので、たとえ青信号でも信用はできません。これは二輪車だけでなく、車もバスもすべて。実際に交通事故も多く、普段は優しい台湾人が運転では人が変わるようになるというのはよく聞く話。そこがいつも不思議です。

25 | 九月

178 / 365

9月25日

本当は憧れているスクーター

台湾では、スクーターを乗りこなすことができれば、圧倒的に行動範囲が広がります。台北は公共交通機関が充実しているので、特に不便を感じることはありませんが、例えば南部や東部を訪れた際にはタクシーを捕まえるのも一苦労。台湾人にとってはそういう場所こそ、スクーターレンタルが一般的です。台湾映画やドラマでもスクーターのある風景はあたり前のように登場します。色んな感情を抱えながら街を走ったり、家族や恋人と２人乗りしたり、時には犬を乗せて走ったり。便利さはもちろんですが、スクーターのある生活が台湾の暮らしの一部なのかと思うと、段々と憧れに近い感情を抱くようになりました。最近は自転車扱いで免許不要の電動バイクのレンタルも増えてきているので、これならいけるのではと眺めていますが、普段の交通マナーを思い浮かべるとやはり躊躇してしまうのです。

9月26日

ふわふわの肉でんぶ肉鬆(ローソン)

「ローソン」と読むその音の響きから、名前をすぐに覚えた肉でんぶの「肉鬆」。でんぶといえばピンク色の桜でんぶ。それしか知らなかったので、豚肉で作られたという茶色いふわふわしたものが、パンやお粥のトッピングとしてどこででも見かけるのは、はじめは軽い衝撃でした。特に、肉鬆パンは調理パンの定番。売っていないパン屋さんなどほぼありません。ほんのり甘いパン生地にとにかくたっぷり肉鬆がトッピング。サンドイッチの具としてもやはりたっぷりサンド。モソモソしないのだろうか……と思っていましたが、食べると案外しっとりしていて、マヨネーズとの相性が特に抜群。香ばしく甘辛い風味は食べれば食べるほど美味しさがわかるように。豚肉以外にも、マグロや鮭が原料の「魚鬆(ユーソン)」やベジタリアン用の「素香鬆(スーシャンソン)」などもあり、国民の愛され食材なのだということがよくわかります。

27 | 九月

9月27日

国民的絵本作家ジミー・リャオ

優しいタッチと可愛らしい雰囲気だけれど、実は内容は大人向け。読むとしんみりすることも多いジミー・リャオの絵本。日本でも多くの翻訳本が出版されています。宜蘭（イーラン）→245/365 出身で、台湾では様々な場所でジミーの作品と出会うことができますが、その世界観を一番味わえるのは、やはり彼の出身地である宜蘭。駅自体がジミーの作品のようになっていて、キリンが駅からひょっこり顔を出しているなどとてもユニーク。駅前にあるジミー広場とジミー公園には絵本から飛び出してきたキャラクターたちがその世界を再現しています。台北では、ホーム一面がジミーのイラストになったMRT 南港（ナンガン）駅や 2018 年に開通した淡海ライトレールの各駅のホームにオブジェが設置されています。また、台北 101 の近くにある玉山銀行前に常設してあるバスは、絵本『月亮忘記了（ユエリャンワンジーラ）』をテーマにジミーがデザインしたもの。バスにも乗車できる無料のアート作品です。

9月28日

教師節と台南孔子廟（タイナンコンズミャオ）

新暦9月28日は台湾では教師節（教師の日）とされています。祝日ではありませんが、広く知られている日で、学校では生徒たちから先生に感謝の気持ちを込めてメッセージを書いたカードなどをプレゼントします。かつては別の日を教師節としていましたが、1952年より学問の神様、孔子の誕生日である9月28日に制定されました。

台湾には各地に孔子廟（孔廟）がありますが、この日は盛大な式典などが行われます。台湾で最古とされる孔子廟は1966年に創建された台南孔子廟。入口の門にある「全台首学」とは清朝末期まで台湾政府の最高学府とされていた証。外壁や建物の朱色が印象的で古都ならではの歴史を感じます。緑が美しい庭園や台南らしい穏やかさの中にある凜とした神聖な空気、過去にはここで多くの人が学問に勤しんでいたのだと思うと、自然と身が引き締まります。

9月29日

中秋節の不思議な風習

旧暦8月15日は中秋節。この日は祝日で、日本の中秋の名月と同じように、綺麗な満月を眺めながら、家族でお祝いをします。円満を象徴する丸い月餅を食べ→170/365、縁起のいい文旦を食べ→171/365、そして夜は外でBBQをするというのが定番の過ごし方。ひとつだけ異色のBBQはその昔、焼肉のタレを販売するメーカーが「中秋節は一家で焼肉」をアピールするCMを流したところ、それが定着したものなのだとか。庭がない家も多いので、家の前の歩道にコンロやイスを並べます。実は私がはじめて台湾を訪れたのは中秋節の日。ホテルへと向かう送迎バスの中でガイドさんから「今日は台湾では焼肉をする日なんですよ」と説明があり、窓の外を見てみると確かに至るところで煙がもくもく。とても印象に残っています。ちなみにBBQでは少し厚めの味付き豚肉をパンに挟んで食べるのがお約束の食べ方。これがまたなんとも美味しく楽しみのひとつです。

9月30日

五分埔（ウーウェンプー）でバイヤー気分

台北には五分埔という衣料品の問屋街があり、業者さんが買いつけに来るようなエリアです。台湾では夜市での洋服店や、それ以外にも小さな路面店やネットショップを経営している人が多いのですが、五分埔で扱っている商品は大体そのようなお店で見かけるようなもの。韓国や中国からの輸入品も多く、確かに安くはありますが品質もそれなり。基本的には値札もなければ試着もできません。ですが、迷路のような細い路地に1000軒以上の小さなショップがぎゅうぎゅうに並んでいるカオスな雰囲気は、プチプラや掘り出し物を探すのに燃えるタイプの人はきっと楽しめるはず。

靴やバッグ、アクセサリー、子ども服やペットの服などもあり、私は寒くなる前に少しだけ冬小物を買いそろえようと、ストールをここで購入したことがあります。五分埔は月曜が卸売りの日。一般客は買い物ができないところが多いので、それ以外の日に訪れましょう。

10月1日

金鐘獎（ジンチョンジャン）と國父記念館

金鐘獎は1965年に創設された放送メディアに関するアワード。「台湾版エミー賞」とも称され、2023年で58回目を迎えました。「電視（デェンシー）金鐘獎（ジンチョンジャン）」（テレビアワード）と「廣播金鐘獎（グァンボージンチョンジャン）」（ラジオアワード）に分けられ、毎年9月～11月頃、まずはノミネート作品の発表があり、約1カ月後に発表授賞式が行われます。当日、会場となる國父記念館にはレッドカーペットが敷かれ、話題となったテレビドラマの出演者など、華やかなスターが続々と登場。会場入りの様子から中継が行われ、多くのファンも会場に駆け付けるなど盛り上がりを見せる一大イベントです。2022年は2.5億元もの制作費と豪華なキャストが話題となった、Netflixオリジナル作品の「華燈初上（夜を生きる女たち）」が多数ノミネートされるなど、ネット配信系のドラマが増えていくことにより、今後の金鐘獎がどのように変わっていくのかが楽しみです。

10月2日

定着した台湾文創（ウェンチュアン）の価値

台湾カルチャーに注目していると「文創」という言葉をよく目にします。正式には文化創意産業のことをいい、2002年に政府によって打ち出された国家発展のためのプラン。20年の時が経った現在はしっかりと定着し、文創と名のつくところに足を運ぶと何らかの素敵に出会える、私にとってはときめくキーワードです。「古いものに価値を見出し、クリエイティブの力で新たな魅力を与える」というのが文創の定義。台湾に心惹かれるお洒落なリノベスポットが多いのも、文創が文化として定着し、デザインの力との相乗効果やその価値観に気づき共感している人が多いからこそ。台北の「華山1914文化創意産業園区」と「松山文創園区」はそれぞれ日本統治時代の酒工場とたばこ工場をリノベーションし、アート、グルメ、ショッピングが楽しめるほか、展覧会やイベントも常時開催。まさに文化発信のカルチャースポットで、用がなくとも足を運びたくなる魅力があります。

3 | 十月

186 / 365

10月3日

華山 1914 文化創意産業園区

「文創」と名のつくスポットは台湾各地にありますが、2005 年にオープンした華山 1914 文化創意産業園区は台北の中心部にあるので行きやすく、なにより雰囲気がとても素敵。建物エリアは比較的コンパクトで、ライブハウスや映画館、台湾雑貨のセレクトショップなどもあり、雑貨系は取り扱う商品のセンスもよく、それ目的でふらりと訪れることも。日本統治時代の酒工場をそのまま生かしたコンクリートとレンガの建物は、古さと味わいを残した絶妙なお洒落さに仕上がっていて本当に見事。園内には植物が多く、よく見るとバナナの樹なども。こんな都会の中心なのにと驚いてしまいます。入口付近は芝生の野外劇場になっていて、週末には無料ライブがよく開催されています。周辺に高い建物などはなく、天気のいい日に多くの人が芝生に座り、のんびりと音楽を楽しんでいる光景はまさに平和そのもの。夕暮れ時もとても綺麗です。

10月4日

クリエイティブパーク松山文創園区

松山文創園區は國父記念館の北側に位置し、華山1914よりもかなり広い敷地。前身は1937年に建てられた松山煙草工場。その跡地が2011年、現在の形に生まれ変わり、1階はデザイン博物館のほか、台湾クリエイターの商品を多数取り扱うセレクトショップや展示スペースなどに活用されています。2020年には、公衆浴場跡地をリノベーションした図書館がオープンし、その個性を活かしたスタイリッシュな空間が話題に。2階はクリエイターのためのコワーキングスペースやデザイン研究所で、若手の育成や台湾文創の拠点としての役割を担っています。同じ敷地内には伊東豊雄氏が外観をデザインした複合施設があり、「誠品生活」とロビーの壁一面が本棚となっているホテル「誠品行旅」が2015年に誕生。目の前には大きな生態景観池もあり、都会の喧騒を離れた空間で、自らの創造性も刺激しながら宿泊もできるクリエイティブパークとなっています。

10月5日

異国情緒のある街・天母(テェンムー)

台湾の高級住宅街と言われる「天母」は台北北部の士林区にあります。温泉街の北投や陽明山に近いエリアで、自然に囲まれた街。日本人学校やアメリカンスクール、各国の大使館も多いので、駐在で台湾にやってきた日本人をはじめ、外国人が多く暮らしています。街並みや建物の雰囲気は台北の他のエリアとさほど違いはありませんが、街路樹が多く、道路も広め。やはりどこか閑静な雰囲気が漂います。この小さなエリアに、高島屋、三越、SOGOなど特に日本人にとっては馴染みのある百貨店が3軒もあるのにも驚きますが、金蓬萊(ジンポンライ)という台湾料理のミシュランレストランやお洒落なカフェ、運動公園や野球場まであるので、暮らしにはまず困らない街。もちろんローカル系スーパーや士東市場という伝統市場も徒歩圏内にあるので、高級だけではない台湾らしさも感じられる魅力があります。

10月6日

カフェの定番メニューはワッフル

さすが台湾と毎回感心するのが、カフェでもフードメニューが豊富なところが多く、その多くが手作りの食事を提供しています。スイーツ系では比較的どこでも見かけるのが「鬆餅(ソンピン)」と呼ばれるワッフル。日本のスフレ系パンケーキが流行した後は、ふわふわパンケーキをメニューに掲げるところも多くなりましたが、それでもワッフル人気は根強く、台湾カフェの定番メニューとも言えるでしょう。ベースはアメリカンワッフルですが、日本のように四角いふわっとしたものが1枚または2枚といった感じではなく、しっかりかっちり、厚目に焼かれた円状のワッフルを4等分したものがドーンとワンプレートでやってくるので、食べきれないほどのボリューム感。実際に途中でギブアップすることが多く、そんな時は「打包(ダーパオ)」→85/365 してお持ち帰り。気兼ねなく注文できるのも嬉しいところです。

10月7日

台北のニュイ・ブランシュ

パリ発祥の白夜祭「ニュイ・ブランシュ」。毎年10月の第1土曜日に夜通し開催される現代アートのイベントです。日本では京都で行われていますが、台湾でも2016年から「台北白晝之夜（タイペイバイチョウチーイエ）」として北門と大稲埕エリアを舞台に開催されたのを皮切りに、2017年公館、2018年中山、2019年大直・內湖、2020年南港、2021年はオンライン、2022年は士林と毎年エリアを変えながら規模も拡大。年々盛り上がりを見せています。パリと同じようにこのイベントは市民参加型の無料イベント。元々台北は夜を楽しむことに関しては長けている上に、プロジェクションマッピングを使用するイベントやアートやデザインにも力を入れている街。このイベントとの親和性も非常に高く、この夜は多くの人で賑わっています。10月は夏の気配を残しながらも暑さもだいぶ落ち着き、ベストシーズンとも言える気持ちのいい時期。寝不足覚悟でこの日は夜通しアートを楽しみましょう。

10月8日

ファイナルマンゴーかき氷

10月8日前後は二十四節気の寒露。台湾は平均気温25℃前後の過ごしやすい時期。台風の心配もほぼなくなり、とにかく暑すぎないのが最高です。台湾旅行はいつがおすすめ？と聞かれることも多いのですが、私は上記のような理由から10月頃と答えています。台湾といえば、旅行でもフレッシュなマンゴーがたっぷりのったマンゴーかき氷は外せないスイーツのひとつですが、フレッシュマンゴーがある時期しか営業をしない台北のかき氷店「冰讚（ビンザン）」も早ければ10月中旬あたりに店じまいをしてしまうので、上旬であればギリギリ間に合うといったところ。1年通して食べられるお店もありますが、旬の時期以外はほとんどのお店は冷凍マンゴーを使用しています。美味しいには美味しいのですが、やはりフレッシュのものを味わうと、シーズンのうちに食べ納めしておきたいと最後の一杯を味わいに駆け込みます。

10月9日

悪気はないから心折れる必要はなし

さっきまでフレンドリーに会話していたのに、「蛤〜！?」（はぁ〜！?）と語尾が上がる感じで聞き返されびっくりしたとか、いきなり舌打ちされてちょっと傷ついたとか、これらは台湾で生活しはじめた日本人あるある。台湾人の普段の優しさとのギャップから、知らないと確かに驚いてしまうのですが、彼らにとってはもちろん悪気があってやっているわけではなく、日本人にとっての「え？」が「は！?」なのです。舌打ちも、頭に来たからするわけではなく、どちらかというと言いたいことがうまく出てこない時や考えている時、あとはいいね！なんていう時にも「チッ」と舌打ちする人もいるそう。でも、忙しそうなお店で無表情なおばちゃんに「はぁ〜！?」と聞き返されるとやっぱり怖い……。そして、舌打ちはうつりやすいのか、自分でも無意識にしてしまうことが。とにかく日本ではしないようにと気をつけています。

10月10日

台湾の建国記念日・國慶日（グォチンリー）

10月10日は台湾における建国記念日の「國慶日」。10が2つ重なる日なので「雙十節（シュァンシージエ）」とも呼ばれます。國慶日の起源は清朝が崩壊し、中華民国が成立する辛亥革命のきっかけとなる武昌起義が起きた、1911年10月10日に基づいています。國慶日が近づくと、自由・平等・友愛の象徴でもある台湾の国旗「青天白日満地紅旗」が街中に掲げられ、当日は総統府を中心に祝賀イベントが盛大に行われます。軍事パレードや空軍のエアロバティックチーム「雷虎小組（レイフーシャオズー）」が国旗カラーの赤、青、白の煙を出しながら上空を飛行するのも毎年の恒例です。2022年は台日友情50周年を記念し、京都橘高校吹奏楽部が招待されたことも大きな話題になりました。夜には総統府の建物を使用したプロジェクションマッピングショーや毎年開催地を変えて行われる豪華な花火大会も実施されるなど、1日がかりでこの記念日をお祝いします。

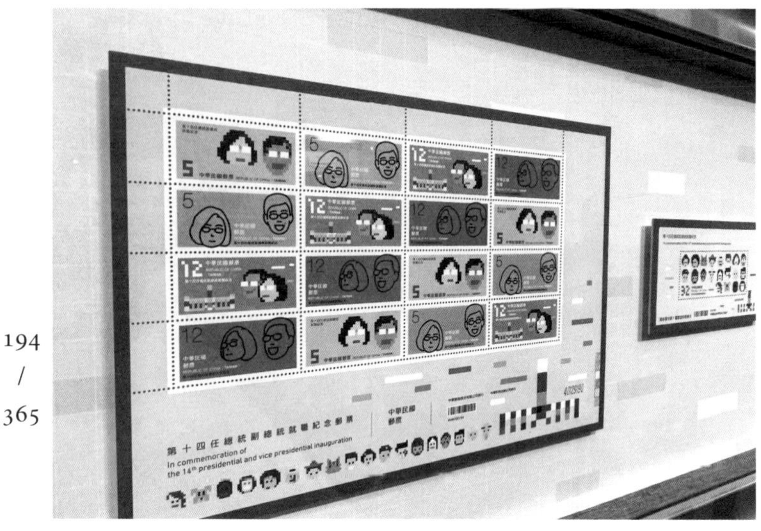

10月11日

政治とデザイン

日本で「政府の記念品」というと、お堅いイメージからは脱却できない印象がありますが、台湾では、総統に蔡英文(ツァイインウェン)氏が就任してからはがらりとイメージが変わり、デザインの力を政治に上手く活かしているなというのを素人目から見ても感じます。最初に大きく話題となったのは蔡氏が2016年に総統選挙や就任の際にロゴや記念品のデザインを当時すでに台湾では大人気だったグラフィックデザイナーのアーロン・ニエ（聶永真(ニエヨンチェン)）氏に依頼した時。特に切手や台湾ビールのラベルになった就任記念のデザインはドット絵で描かれた総統と副総統が可愛い！　と話題に。瞬く間に売り切れたのには驚きました。國慶日→193/365でも毎年「2つの十」をモチーフにしたロゴを発表するのですが、こちらも2016年からは若手のデザイナーに依頼。洗練された台湾の意思を感じるデザインからもいまの台湾の方向性を読み解くことができるのです。

10月12日

台湾人が大好きな甜甜鹹鹹（テェンテェンシェンシェン）

友人グループで人気の北京ダックのお店「享鴨（シャンヤー）」で食事をしたとき、もちろんダックは美味しかったのですが、一番盛り上がったのは「酸菜芝麻流沙湯圓（スァンツァイヂーマーリィゥシャタンユェン）」という、お店オリジナルのサイドメニュー。胡麻ソースが入った揚げ白玉団子に漬物の酸菜を炒めたものをのせ、仕上げにピーナッツ粉をたっぷりとかけるといった料理で、甘じょっぱい風味がいいね、とみな絶賛。そこで台湾人は「甜甜鹹鹹」な味付けが大好きなのだと教えてもらいました。甜は甘い、鹹はしょっぱいという意味。確かに台湾グルメの角煮まん「割包（グァバオ）」や台湾式生春巻き「潤餅（ルンビン）」なども仕上げに砂糖入りのピーナッツ粉をたっぷりかけるなど、甜甜鹹鹹な料理は伝統的なものにも多くあります。日本人もこの味わいが好きな人は多いはず。味覚の共通点に嬉しくなりました。

10月13日

台湾大学を散歩

台湾の最高学府である国立台湾大学は日本統治時代の1928年に台北帝国大学として設立。略して台大（タイダー）と呼ばれています。MRT公館（ゴングァン）駅を出るとすぐキャンパスの入口があり、広い構内は誰でも自由に出入りできます。この近くに住んでいたこともあり、敷地内をよく散歩していたのですが、歩いていると地元の北海道大学のキャンパスを歩いているような気分になることがありました。どちらもその時代の建物が現存していることもあり、雰囲気がよく似ています。北大はポプラ並木が有名ですが、台大のメインストリートには椰林大道（ヤーリンダーダオ）と名づけられた1本道のヤシの木並木。アカデミックな雰囲気と南国らしさが感じられるこの光景が好きで、さらに構内には焼きたてワッフルや農学部が作るアイスクリームなどの美味しいものも。そんな理由からも、気分転換も兼ねて訪れたくなる場所なのです。語学センターもあるので日本人も多く学んでいます。

10月14日

学生街の古本屋さん

台大周辺は学生街でもあるので、安く美味しい食堂や、老舗のスイーツ店、お洒落なカフェなども沢山ありますが、古本屋が多いのも特徴です。古本をはじめ、リサイクル品を扱うお店にはセカンドハンドの意味がある「二手（アールショウ）」という言葉が使われているので、古本屋さんは「二手書店（アールショウシュディェン）」。そのキーワードでMAP検索してみると公館（ゴングァン）と溫州街（ウェンゾウジエ）の台大周辺エリアだけで10軒以上、さらにその先にある師範大学の方まで範囲を広げるとさらに数は増えてきます。昔ながらの個人店もあれば、雅博客二手書店（ヤーボークーアールショウシュディェン）や茉莉二手書店（モーリーアールショウシュディェン）などは店構えも店内も一般の書店のようなので、本が選びやすくよく利用するお店です。主に料理本やライフスタイル誌のバックナンバーなどを探しに行くのですが、本が増えてしまった時には買取りもしてくれるので上手く活用しています。

10月15日

公館(ゴングァン)のアートスポット寶藏巖國際藝術村(バオツァンイェングォジーイーシューツン)

台湾大学や公館を訪れた際には、そこから少しだけ坂道を上った先にある、寶藏巖國際藝術村へ訪れてみるのも、ここならではの景色を楽しめるのでおすすめです。寶藏巖(バオツァンイェン)とは村の入口にあり、観音様が祀られているお寺のこと。その後ろが集落になっていて、1960 ～ 1970年代に建てられた住居がこぢんまりと広がっています。もとは違法建築だったため取り壊される予定でしたが、その後、歴史的建造物に認定。現在は芸術村として、国内外のアーティストに修復した建物を滞在型のアトリエとして提供し、創作活動を行う場となっています。アトリエは開放されているところも多いので見学することができるほか、カフェや宿泊施設なども利用可能。見晴らしもよく、歩いているだけで、壁画をはじめとしたアート作品にも出会うことができます。

16 | 十月

10月16日

青インクのボールペンがスタンダード

機内で入国カードを書きそびれ、台湾桃園国際空港の審査カウンターの前で記入をすると、備えつけのボールペンの色が青。少しだけ違和感がありましたが、その後も郵便局や学校、公共施設や届いた郵便物の宛名を見ても青いインクのボールペンが使われていることが多く、正式な文書やサインなども、台湾では黒よりも青の方がスタンダードなのだということを知りました。日本以外の国では多いようで、印刷物の文字が黒いので、青色を使用した方がはっきりとわかるためだとか、コピーではないオリジナルという意味を持つそうです。実際、台湾は黒でも問題ありませんが、やはり青が主流。そのため、台湾から日本へ留学やワーホリなどに行く際には、「日本では青ペンは正式なものとしてみなされない場合があるため、黒ペンを使用しましょう」という注意が促されるそうです。確かに小さなことですが、文化の違いを感じる情報ですよね。

17 | 十月

200 / 365

10月17日

アートスポットを巡りたい台湾文化の日

10月17日は「臺灣文化日」(台湾文化の日)。1921年、日本統治時代に林獻堂(リンシェンタン)、蔣渭水(ジャンウェイシュイ)など当時の文化人たちが台湾文化を発展させることを目的に「台湾文化協会」を設立したことから、その精神を記念し、2001年、政府によって定められました。祝日ではありませんが、国民が台湾文化について体験できるようにと台湾全土の美術館や博物館をはじめとした100を超える文化施設が無料または割引などの優待サービスを行うほか、記念式典や国立台湾交響楽団によるコンサート、台湾文化にまつわる特別展なども行われます。台湾には素晴らしい博物館や美術館などの文化施設が多く、どこも入場料が良心的。子どもたちの姿もよく見かけます。私自身もいまだにすべては回り切れていませんが、それだけ数も多いということ。アートやカルチャー、歴史にまつわることなど、台湾では観たいと思ったその時に、気軽に訪れることができる充実した環境が整っています。

10月18日

ノスタルジックな台南

台湾の古都、台南。台湾最初の首府として、オランダ時代、鄭成功による統治時代、清国時代、日本統治時代を経てきた歴史を随所から感じとれます。台北から新幹線で約2時間。降り立つと、独特のノスタルジックな空気と穏やかな台南時間を感じ、ほっとするような感覚を覚えます。台南はよく京都のようだと表現されますが、古いものが大切にされ街づくりに活かされているところや、路地や民家の真横など寺廟の数がとにかく多く、街歩きをしていると、その言葉の意味がすぐに理解できるはず。台南独自のグルメも美食揃いで、ランドマークとなっている林百貨や民家を改装したカフェなど、味わいのある施設や建物も数多く点在しています。もちろん人も穏やかで人情味があり温かい。のんびり路地を歩き、街の食堂でごはんを食べるだけでも心がほぐれていくような、そんな癒しの街なのです。

19 | 十月

10月19日

スケールが桁違いな奇美博物館（チーメイボーウーグァン）

台南の観光スポットの中でも特に印象深かったのが、郊外にある奇美博物館。台湾を代表する大手企業である奇美実業の創始者、許文龍（シュウェンロン）氏が幼少期からの夢を実現し、自身のコレクションの数々を多くの人にも味わってほしいと2015年にオープンした私立博物館なのですが、すべてにおいてスケールが桁違い。15億元を投じたとされる博物館は宮殿そのもの。広い公園の敷地内にある眩しいくらいに真っ白な西洋建築は、本気でここが台南だということがわからなくなるほどです。館内には、ストラディヴァリウスをはじめとしたバイオリンに、彫刻、西洋絵画、古兵器、剥製や化石など4000点余りを展示しているのですが、これで所有数の3分の1だというのですからただただ驚くばかり。館内にはスターバックスやミュージアムショップもあり、ここならではのお土産品も揃います。たっぷりと時間を取って訪れたい場所です。

10月20日

胃袋が足りなくなる台南グルメ

台南では、ここならではの名物グルメが多すぎるので、朝から晩まで食べまくっても正直1日の滞在では胃袋が足りません。まず、早朝に行きたいのは、生の牛肉に熱々のスープを注いでいただく「牛肉湯(ニュウロウタン)」の専門店。台南には台湾最大の牛屠殺場があることから、新鮮な牛肉を使ったこの料理が名物です。また、台南で養殖され、台湾語でサバヒーと呼ばれるミルクフィッシュも傷みやすいため、さばいてすぐに提供できるサバヒー粥「虱目魚粥(サバヒーチョウ)」は台南のソウルフード。私のお気に入り台南グルメは、エビごはんの「蝦仁飯(シャーレンファン)」やエビ出汁が利いたスープで食べる「擔仔麵(タンザイミェン)」。南部式の粽(ちまき) →72/365 も台南で食べるとより美味しく感じます。ちなみに台南グルメは甘めの味付けが特徴。美味しいお店は至るところにありますが、特に國華街(グォホァジエ)という通りはグルメストリートとして有名。ここをぶらぶらするだけで、確実に美味しいものに出会えます。

21 | 十月

204 / 365

10月21日

屋台のさつまいもドーナツ・地瓜球（ディグァチョウ）

夜市で歩きながら、ちょっとだけなにかつまみたい時にピッタリなのが「地瓜球」。ひと口サイズのさつまいもドーナツのことです。蒸したさつまいも（地瓜（ディグァ））にさつまいも粉またはタピオカ粉と砂糖を混ぜ、丸めて油で揚げたもの。食感はもちもちで、特徴は中が空洞になっていること。油で揚げていても軽いので、ついパクパクと食べてしまいます。しっかりさつまいもの風味も残っているので、お芋に目がない方はきっと好きなはず。揚げ方にコツがあり、途中お玉などでぐいぐいと何度も生地を鍋に押しつけることにより、ぷっくりと膨らみ中が空洞になるのです。冷めても潰れることはなくずっとそのまま。屋台では大きな専用鍋で作っているので、揚げているところを観察してみるのも面白いですよ。

10月22日

地瓜球（ディグァチョウ）の簡単レシピ

素朴だけれどひと味違う美味しさと面白さがある地瓜球。材料もシンプルで作り方も実はとても簡単。お家でも気軽に作れるおやつです。

[材料]

さつまいも：200g（皮を剥いたもの）、タピオカ粉：120g、砂糖：40g、お湯：50cc、揚げ油：適量

[作り方]

1. さつまいもはひと口大に切り、柔らかくなるまで電子レンジまたは蒸し器で加熱する。
2. さつまいもをボウルに入れ、お湯を加えフォークでつぶす。
3. 熱いうちにタピオカ粉と砂糖を加え、粉っぽさがなくなり、ひとまとまりになるまでよくこね、直径1.5～2cmくらいの大きさに丸める。
4. 油を170°Cに熱したら**3**を入れ、浮いてきたら軽く混ぜながら火を通す。
5. ほんのり色がつき表面が固くなってきたら、穴あきレードルで生地を上から押して圧力をかける。4～5回繰り返す。
6. 仕上げに180°Cくらいまで温度を上げ、きつね色になったら取り出し完成。

10月23日

敬老の日・重陽節（チョンヤンジエ）

旧暦9月9日は重陽節。古代中国では奇数は陽の数字とされ、特にこの日は数字の中でも最大の「九」が重なる日のため「重陽（チョンヤン）」と名づけられました。また「九九（ジウジウ）」の発音は、“久しく、永遠に”という意味を持つ「久久（ジウジウ）」と同じ。やはり縁起のいい数字ということから、重陽節は年長者を敬い、長寿を願う「敬老の日」ともされています。祝日ではありませんが、伝統的な風習としては先祖へのお参りや、高いところに上る「登高（ドンガオ）」を行い、長寿の象徴である菊を観賞したり、菊花酒を飲んだりするそうです。そのほかにも蒸し菓子の重陽糕（チョンヤンガオ）やゼリーのような菊花糕（ジュホアガオ）を食べる、植物のグミを身につける、凧揚げをするなどがあり、どれも厄除けや縁起がいいとされること。気候もちょうどいい季節なこともあり、年配者の方はレジャーとして山登りなどに出かける人も多いようです。

10月24日

フォトジェニックな干し柿

10月24日頃は二十四節気の霜降。台湾は薄手の長袖でちょうどいいくらいの過ごしやすさです。食材を見ていると、秋から冬にかけての果物が出てくるので、季節の移ろいを感じます。養生では乾燥を防ぐため、潤いを与える蜂蜜や柿などがよいとされているのですが、台湾でも柿は生産されていて、干し柿などもよく目にします。日本では干し柿というと紐で吊るして干す光景がおなじみですが、台湾の干し柿は皮を剝いた柿をザルに並べ、天日干しにして作ります。だから形も丸くて平ら。客家の街、新竹県新埔（シンプー）が有名な干し柿の生産地。新竹は風が強いこともあり、こうした干し柿やビーフンを作るのに適した場所としても知られています。観光農園があるので見学もできるのですが、鮮やかなオレンジ色の柿がずらり並んでいる光景はまさに圧巻。SNSでも人気のスポットなので、シーズンになると多くの観光客が農園を訪れます。

10月25日

和製マジョリカタイルの博物館

大正から昭和10年代にかけてその多くが作られたという和製マジョリカタイル。はじめて知ったのは日本の雑誌。このタイルが壁一面にある京都の「さらさ西陣」や「船岡温泉」はいつか行ってみたい憧れの場所でした。ですが、その地を訪れる前に、台湾で思う存分眺めることができたのです。台湾でもマジョリカタイルは日本統治時代の建物に多く使われていて、さらには台湾南部の嘉義では取り壊された建物からマジョリカタイルを保管し、コレクションしていたという貴重なタイルの数々を展示した「台湾花磚博物館（タイワンホァヂュアンボーウーグァン）」が存在します。館内はコンパクトですが、タイルの壁をはじめ、インテリアとしてディスプレイされているなど見応えは十分。当時、そのほとんどを日本から輸入していたタイルは、高価だったこともあり、装飾として使用するのは富の象徴でもありました。輸出国に合わせデザインも変えていたそうで、台湾では吉兆を象徴するモチーフが多いのも特徴です。

26 | 十月

10月26日

嘉義と日本の繋がり

台湾花甎博物館（タイワンホァヂュアンボーウーグァン）→208/365 がある嘉義は、国定公園の阿里山へ行く際には必ず経由する街です。日本統治時代には林業で栄え、いまは観光用登山列車として利用されている阿里山森林鉄道は、当時山で伐採したヒノキなどを運搬していました。市内にある「檜意森活村（ダイイーシェンフォツン）」はかつての林業関係者官舎があったエリアを活かした文化施設。28棟もある建物はすべてヒノキ造りの日本家屋で、林業に関する展示のほか、カフェや買い物なども楽しめるようになっています。村と名づけられているだけあり面積も広く、日本を感じられる場所として、レンタルの浴衣姿で台湾人がいつも楽しそうに撮影をしています。日本人が多く暮らしていた当時の嘉義を知るには、嘉義を舞台に甲子園を目指した若者たちを描いた台湾映画「KANO 1931 海の向こうの甲子園」もとても参考になります。永瀬正敏さんなど日本人俳優も数多く出演し、台湾で大ヒットを記録した名作です。

27 | 十月

10月27日

台湾の占いでわかること

街で見かける「算命（スァンミン）」、「命理（ミンリー）」、「卜卦（ブーグァ）」などの文字。これらはすべて占いのこと。龍山寺や行天宮の近くには「命理街（ミンリージエ）」と呼ばれる占い横丁があり、占いブースが並んでいます。台湾には古代中国から伝わってきた運命学「五術」が根づいていて、五術とは「命・卜・相・医・山」のこと。「命・卜・相」が占い、「医」が漢方や鍼灸、「山」は太極拳や呼吸法などの仙道で、すべてよりよい未来のためにと行います。「命」は四柱推命・紫微斗数など、生年月日で生まれ持った運命や性格などを読み解き、「卜」は亀・米粒・小鳥占いなど、道具で運気や近い未来を占い、「相」は手相、風水、姓名判断など、その人の姿や形から吉凶を占います。先生により専門分野がありますが、ほとんどの先生が複数の占いを看板に掲げています。台湾では、命名・結婚・出産・引っ越しなど、人生においての重要な日は占いによって決めるという人も少なくなく、とても身近な存在なのです。

10月28日

レインボーとプライドパレード

台北の西門町（シーメンディン）は若者たちで賑わいを見せる街。MRT西門駅の出口で最も利用者が多いのが6番出口。その出口付近には「6號彩虹（リュウハオツァイホン）」と呼ばれる虹色にペイントされた車道があり、常に誰かが撮影をしている人気のフォトスポットです。6號彩虹は2019年5月、台湾がアジア初の同性婚を合法化したことをきっかけに、人権尊重と男女平等、そしてLGBTフレンドリーを主張するシンボルとして誕生したとても意味のあるもの。台湾の中でも西門町は特に多様性を感じられる街。そこにしっくりと溶け込み、シンボルとしての存在感を放っています。また、台湾では毎年10月の最終土曜日にLGBTプライドパレード「台湾同志遊行（タイワントンヂーヨウシン）」が行われます。2003年にスタートしたパレードは20周年を迎え、コロナ禍直前の同性婚が認められた2019年の参加者は20万人を超えるまでに。いまではアジア最大級のパレードへと成長し、世界からも注目を集めています。

10月29日

台湾から香港や東南アジアへ

台湾人にとって、海外旅行も大好きなことのひとつ。彼らは、台湾はどこへ行っても代わり映えがしないからずっといると飽きてくると言うのですが、特に日本以外だと、香港、タイ、ベトナム、シンガポールなどは航空券の料金もお手頃で、短時間で行くことができるので、行きたくなるのもよくわかる人気の旅行先です。私も影響を受け、台湾発でこれらの国に遊びに行ったことがありますが、LCC便も充実していて、日本と台湾を往復するよりリーズナブルな料金で行くことができました。香港とシンガポールでは中国語が通じることも多いので、コミュニケーションもとりやすく旅がしやすいという発見も。軽やかにWEBで航空券と宿を予約し、グルメメインで香港では飲茶や麺料理、タイやベトナムではハーブをたっぷり使用したご当地料理やマッサージ、シンガポールでは海南チキンライスやカヤトーストなど、現地の味を堪能しました。

10月30日

ファンシーなテイクアウトグッズに釘付け

テイクアウトした朝ごはんメニューの蛋餅（ダンピン）。家に帰り袋から出してみると、ボックスには可愛らしいクマのイラスト。子どもの頃に使っていたお弁当箱を思い出し、懐かしさを感じるファンシーさに思わずキュンとしてしまいました。その後も屋台で買う豆花やスープの容器、揚げ物を入れてもらった紙袋など、ノスタルジックなファンシーとの出会いは至るところに。不意打ちの懐かしさがどこか嬉しく、マニアックだとは思いながらも、台湾の昔ながらのテイクアウトグッズを見るのは密かな楽しみとなりました。もちろん、最新のお店では、お洒落でカッコいいデザインアイテムに溢れていますが、私がそちらではなくファンシー系に心惹かれるのは、お店の人の気取らなさや、いい意味でのこだわりのなさもまた自然体でカッコいいと感じているからかもしれません。

10月31日

台湾のハロウィン

ハロウィンは「萬聖節（ワンシェンジエ）」。台湾では子どものイベントというイメージで、盛り上がり方は一部のお店で飾りつけがしてある程度。あとはやはり一部の大人たちが夜に仮装してクラブで楽しむといった様子です。しかし、子どもたちのハロウィンは、SNSの普及とともに、年々熱く。台北であれば、外国人が多く暮らす天母→188/365にて毎年街を挙げてのハロウィンイベントを行うため、この日は仮装した子どもたちが天母に大集合。Trick or Treatの中国語「不給糖就搗蛋（ブーゲイタンジュウダオダン）！」と言いながら、地域のお店から飴などのお菓子をもらいます。そしてメディアからも注目を集めているのは、自由度が高くユニークな子どもたちの仮装。定番の魔女やゾンビの子もいれば、お友達が泣き出してしまうくらい本気度の高いジブリのカオナシやタピオカミルクティー、数年前は蔡英文総統そっくりのコスプレキッズまで。ユニークでどこかほのぼのする台湾のハロウィンです。

1 | 十一月

215
/
365

11月1日

週年慶（チョウニェンチン）は年に1度のビックセール

毎年11月頃は台湾各地の百貨店やショッピングモールで年に1度のビッグセール「週年慶」が開催されます。全館挙げてのセールですが、デパートコスメなどがかなりお得になるので、特に女性たちは何を買おうかとワクワクそわそわする時期。コスメの場合はセット販売がメインで、かなりの割引率となるので、1年分をこの時にまとめ買いする人も多いのです。購入金額によって、プレゼントがもらえたり、クーポンでの還元があったり、カード会員の場合はさらに特典がつくので、買えば買うほどお得さもアップ。これは白熱するのも無理はありません。週年慶のチラシもカタログ並みの分厚さで、見ているだけでも百貨店の気合が伝わってきます。東区の太平洋SOGOや台北駅前、中山、信義にある新光三越など、日本人になじみのある百貨店もコスメフロアなどはこの時期は人で溢れていて、活気ある様子に圧倒されるとともに、どこかパワーももらえます。

11月2日

金馬奬(ジンマージャン)と悲情城市

金馬奬は台湾版アカデミー賞。1962年創設の中華圏を代表する映画賞です。「金馬」とは台湾の離島である金門と馬祖の頭文字から。エントリーできるのは世界の中国語作品で、全部で24の賞が用意されています。授賞式は例年11月に國父紀念館にて行われ、金鐘奬(ジンジョンジャン) →184/365 同様、アジアのトップスターが華々しく登場するレッドカーペットから見応えあり。YouTubeでもライブ中継が行われます。過去の受賞作は台湾を知るためにも押さえておきたい名作揃い。侯(ホウ)孝賢(シャオシェン)監督は国際的にも有名な監督のひとりですが、1989年に金馬奬最優秀監督賞を受賞した「悲情城市」は2023年2月にデジタルリマスター版が台湾で公開され、大きな話題となりました。美しい映像とともに、九份を舞台に二二八事件 →334/365 など、台湾の歴史に翻弄された家族を描く作品なのですが、いまこの時代にこそ観ておきたい名作です。

11月3日

文山包種茶のふるさと坪林（ピンリン）

台湾茶は何を飲んでも美味しいと思っていたのですが、台北のMRT六張犁（リゥチャンリー）駅の近くにある素敵なお茶屋さん「清山寶珠（チンシャンバオチュ）」でお店の看板商品でもある文山包種茶をいただいた時、緑茶のように柔らかで、でも華やかさもある風味に惹かれ、お気に入りのお茶となりました。なんでもこのお茶は店主のご実家「坪林」で栽培しているとのことで、その後坪林を訪れてみることに。台北の新店から路線バスで1時間ほどの場所にあり、豊かな自然に囲まれた場所。老街や茶業博物館などもあり、茶葉の販売店が立ち並ぶまさにお茶の街。生産者さんからお茶を購入することもできます。そして素晴らしいと感じたのが、街を流れる北勢渓（ベイシーシー）沿いに作られたサイクリングロード。そこを散策するだけで、目の前に茶畑が広がっているのです。実際に茶葉が作られているところを目にすると、その後のお茶がますます美味しく感じられるようになりました。

11月4日

象山(シャンシャン)は24時間登れるハイキングスポット

台北101が綺麗に見える絶景スポット「象山」。標高183mの小さな山で、駅からも近く、展望台までの道も舗装されているので、気軽にハイキングを楽しむことができます。と言われてはいますが、実際に登ってみるとなかなかハード！　石の階段をひたすら地道に登り、頂上まではゆっくり歩いて20分ほど。晴天の25℃くらいの気温だと、到着する頃には汗だく。サンダルで登って後悔したという話もよく聞きますが、スニーカー、タオル、水は必需品です。正直なところ、登山口の直前でも台北101はとても綺麗に見えたので、もうこれでいいのではとも思いましたが、やはり象山の上からの景色は格別。夕暮れ前に登ると青空、夕陽、夜景と移り変わる景色を堪能でき、登った甲斐をしみじみと感じました。24時間開放されているので、日が暮れてからも登って来る人は途絶えず。それにも少し驚きましたが、それだけ人気のある台北の名所です。

11月5日

大安森林公園（ダーアンシェンリンゴンユェン）で過ごす休日

台北中心部にある大安森林公園は面積約26ha。広々としたまさに都会のオアシスです。台形型で四方を幹線道路に囲まれていますが、園内はもくもくと大きな樹が立ち並び、森林という名がぴったり。大きな野生のリスもあちこちで走り回っています。芝生ゾーンが多いので、休日はピクニックを楽しむ人で賑わい、芝生にテントを張って寛いでいる人なども。歩道は木々によって光が和らぐので、1日中誰かしらウォーキングやランニングをしていたり、バスケットコートでは家族連れや若者たちが身体を動かしていたりと、みんなとても健康的。中央には野外ステージがあるので、ライブや毎年秋には台北ジャズフェスティバルが開催。近年はホタルを見られるスポットにしようという取り組みが行われていて、4～6月頃はこの公園内でホタルの姿を見ることができます。

11月6日

スタイリッシュな大安森林公園駅（ダーアンシェンリンゴンユェン）

大安森林公園はMRT大安森林公園駅に隣接しているので、駅から出たらすぐに公園というアクセスの良さも魅力なのです。その大安森林公園駅もドーム型のモダンなデザインで、訪れるたびに素敵な駅だなと見入ってしまいます。駅構内もスタイリッシュでホールとしても活用。休日は市民のダンス発表会など、かなりローカルに根差したイベントが多く開催されていて、そのギャップもまたいいのです。賑やかな構内から外へ出ると、がらりと雰囲気は変わり、噴水や地上へ上がる階段も壁泉になっているので、心地よい水の音が聞こえてきます。全面ガラス張りなので、夜はライトアップがとてもフォトジェニック。コーヒーチェーンの「路易莎咖啡（ルーイーシャカーフェイ） LOUISA COFFEE」とMRTがコラボしたMetro coffeeも併設されているので、テラスでお茶を楽しめるのですが、雰囲気はどこかヨーロッパの街角のよう。都会の台北を感じられる場所です。

11月7日

菱角（リンジャオ）と花生（ホァシェン）トラック

台湾の何気ない光景で好きなものは色々ありますが、「菱角・花生」と書かれた軽トラックもそのひとつ。なんだか味わいがあり惹かれるのと、これから段々と寒くなっていくのだろうなと、見かけると季節の移ろいを感じます。「菱角」は菱の実で、「花生」はピーナッツのこと。どちらも蒸したものをビニール袋に入れ渡してくれます。ピーナッツは台湾では年中食べられているものですが、殻付きで蒸したものはこうしたトラックや市場で目にします。菱角の旬は9～11月ですが、それ以降でも見かけることはよくあります。殻は真っ黒で見た目は角が生えた悪魔を思わせるシルエット。実はどこか栗のようですが、色は白くて、栗とクワイをミックスさせたような食感。ほくほく感や甘さはないのですが、あっさりしていて、おやつにちょうどいいのです。見かけると食べたくなる、秋冬の美味しいものです。

11月8日

夏の終わりの夜みたいな秋

11月8日頃は二十四節気の立冬。台湾はまだ冬の気配は感じませんが、だいぶ気温が落ち着き、束の間の秋らしさを感じる季節。いつかの11月、学校が終わった後に友人とカフェでお茶をしている時に「いまの時期ってどこか夏の夜みたいな感じがしない？」と話したことをとてもよく覚えています。まだ上着のいらない服装で、暑すぎず、寒すぎず、夏が終わってしまうことを少し寂しく思いながらどこまでも歩いて行けそうな、そんな気配が漂う季節。ふるさと北海道ではまさに雪が降るか降らないかの時期なので、行き来する際の服装が難しく、最も気温差のギャップを感じるシーズンでもあります。立秋が過ぎた後に訪れる秋の猛烈な残暑のことを「秋老虎（チウラオフー）」というのですが、このあたりの時期でもまだ耳にすることが多い言葉。涼しくなったかと思いきや、ある日突然夏日が訪れるなど、まだ半袖も必要です。

9 | 十一月

223 / 365

11月9日

調味料代わりに使う客家（はっか）の漬物

食べる豆乳「鹹豆漿（シエンドウジャン）」や台湾料理の定番でもある卵焼き「菜脯蛋（ツァイプーダン）」には漬物のような歯ごたえのものが入っていて「切り干し大根」とよく訳されています。でも食べると違うのは明らかで、自宅でそれらを再現してみようと、食感がそれっぽい沢庵やザーサイで作ってみましたがやはり別物。じゃあ、あのカリカリしたものはと調べていくと、客家の伝統的な保存食「菜脯（ツァイプー）」に辿り着きました。塩漬けにした大根をさらに干したものなのでやはり切り干し大根とは別物です。その後、友人の家に遊びに行った際、友人のママから自家製の菜脯をいただく機会がありました。香ばしく優しい香りは想像していた漬物の香りともまた違い、「水で洗って、刻んで卵と葱だけを混ぜて焼いてごらん」と言われたので、その通りにしたらなんとも味わい深い菜脯蛋が完成。まさに求めていた味で、いまは我が家のストック食材です。

10 | 十一月

224 / 365

11月10日

玉市とパワーストーン

週末花市「建國假日花市（ジェングォジャリーホァシー）」→23/365 を北側へ進んでいき横断歩道を越えると、「建國假日玉市（ジェングォジャリーユーシー）」という天然石やパワーストーンを扱う市場へと突入します。台湾は東部の花蓮が翡翠の産地として有名なことから、翡翠の割合が多いのも特徴。ブレスレットやペンダントヘッド、彫刻のアクセサリーなど、様々な翡翠商品が陳列されています。薄暗い空間にテーブルが並び、ずらりと業者さんたちが座る光景は、花市とは一転。冷やかしで入っていいものかと躊躇いますが、よく見渡してみると、もちろん真剣に交渉している人もいますが、スマホをいじったりお弁当を食べていたりと、普通の市場と変わらないので気にすることはないでしょう。ただ、素人には石の良し悪しなどの判断はやはり難しいところ。できたら詳しい方と行くのが一番ですが、そう高くないものなら直感で選ぶのもありかなと、訪れた際にはバイヤー気分で石選びを楽しんでいます。

11 | 十一月

225 / 365

11月11日

シングルデーの大セール

この時期は百貨店の大セール「週年慶(チョウニェンチン)」→215/365 が賑わいを見せますが、近年勢いがあるのが、11月11日に開催される「雙(シュアン)11」。ECサイトの大セールです。中国発祥のイベントで、中国においてこの日はシングルデーとも言われる光棍節(グァンガンジエ)。ネット世代のシングルを盛り上げお祝いしようと大手ECサイトのアリババが大セール「双十一(シュアンシーイー)」を開催したのがはじまりで、それが台湾へも広まりました。ネットショップに慣れ親しんでいる世代はここで爆買い。雙11で何を買うか、買ったかはなかなか盛り上がる話題です。台湾で現在人気のECサイトは「蝦皮(シャーピー) Shopee」と「momo 購物網(ゴウウーワン)」。それぞれにコスメ、ファッション、家電など何でも揃う日本の楽天のようなショッピングサイトです。コンビニ受け取りもできるので、雙11のあとのコンビニは山のような配達物で溢れかえり、大変な状態に。11月の台湾は爆買いシーズンでもあるのです。

11月12日

猫空(マオコン)とロープウェイ

猫の空と書いて「貓空」。台北市文山区にあるエリアの名称ですが、なんとも可愛い名前ですよね。標高300 mほどの場所にあり、この辺りは台湾茶「木柵鉄観音(ムーザー)」の産地。景色も抜群なので、台北の街並みを一望しながら食事や台湾茶を楽しめる茶芸館が点在しています。すごいのが、このような場所にあるにも関わらず、夜景スポットとしても人気の場所、0時を過ぎても営業しているお店も多く、中には24時間営業のところも。大学生などはスクーターで訪れ、お茶を片手におしゃべりしながら夜を明かすそう。MRT動物園駅のすぐ傍にロープウェイ乗り場があるので、アクセスはロープウェイが便利。ICカードも使え、乗車時間は約30分。運賃は終点「貓空駅」まで片道120元です。足元が透明になっているクリスタルキャビンも人気で、専用レーンから乗車することができます。

11月13日

猫空(マオコン)でしたいこと

猫空でしたいことといえばやはり景色を楽しみお茶を飲むこと。どのお店も数種類の茶葉を取り揃えていますが、せっかくなら猫空特産の鉄観音を味わいたいところ。焙煎がしっかりとしたほうじ茶のような風味ですが、そこからさらにフルーティな香りを感じるものも。もしメニューに「木柵正欉鉄観音(ムーザーヂェンツォン)」があれば、お値段はしますがぜひとも味わっておきたい希少なお茶です。猫空にあるお店はカフェや茶芸館、レストランなど形態も様々ですが、食事をするのならぜひ茶葉料理を。特に「猫空阿義師的大茶壺茶餐廳(マオコンアーイーシー ダ ダーチャフーチャツァンティン)」というレストランはローカルな雰囲気ですが景色もよく、2名からのセットメニューも用意されているので使い勝手がいいお店。鉄観音を使用した鶏のスープや武夷岩茶でスモークした鶏もも肉、緑茶の炒飯など、料理によって茶葉を使い分けるなど、台湾料理をベースにしたこだわりの茶葉料理がいただけます。

11月14日

台北市立動物園のパンダ

ひと目見た時からパンダのキュートさに釘づけになり、度々訪れるようになった台北市立動物園。アジア最大級の都市型動物園と言われ、敷地はかなり広大。園内には移動のための列車も走っているほどで、すべて観て回るには1日がかりと言われています。そんなスケールなのに入園料は60元（約270円）。これなら気軽に行きたくなりますよね。というわけで、週末は家族連れで大賑わい。お目当てのパンダも係員に進め進めと煽られ、立ち止まることは許されないため、正直じっくり観ることができません。なので、パンダ目的で行くのなら平日一択。私もここではパンダに会えたら満足なので、パンダの後は、すぐ向かいにあるコアラ館でコアラを見て、後はショップでパンダグッズをチェックし終了。その後は駅横にあるロープウェイに乗り、貓空で景色と鉄観音茶を堪能するというのが、このエリアに来た時のお決まりのコースです。

15 | 十一月

11月15日

夜のダンサーおばちゃん

2010年公開の映画『台北の朝、僕は恋をする』。台北を舞台にしたキュートなラブストーリーです。主人公がトラブルに巻き込まれ、台北中を逃げ回るというような内容なのですが、悪役含め、登場人物がもれなく可愛らしいので、終始ほのぼの。ヒロインが誠品書店、主人公の友人がファミリーマートに勤めているので、自分がよく行く場所が出てくるのも嬉しく、台湾にハマりはじめた頃、景色を眺めていたくてDVDを購入。いまでも変わらず好きな映画です。ストーリーの中で、印象的だったのが、追ってくる相手をまくため、公園でダンスをしているおばちゃんグループに紛れ込むというシーン。この公園ダンスのおばちゃんたち、実際によく公園や広場で遭遇するのですが、選曲がまさかのユーロビート系などということも多く、出会うとかなりグッとくる存在。楽しそうで、健康的で、映画みたいにいつか混ぜてもらえないかなーと眺めています。

16 | 十一月

230
/
365

11月16日

台湾の愛されおやつ

日常におやつが欠かせない私。台湾でも欠かさずチェックするのはコンビニやスーパーのおやつ。日本のおやつと似ているけれど、やはり独自の文化があります。はじめ驚いたのはクラッカーの豊富さ。アマニやキヌアなど雑穀入りのヘルシー仕立てタイプも目立つほか、特に台湾では葱入りのものが多く、中には甘いヌガーがサンドされているものも。甘じょっぱい風味が好きな台湾人→195/365の好みがとてもよく反映されたおやつです。ほかには、日本では脇役的な存在のウエハースも主役級に豊富だったのが意外な発見。外資系スーパーのカルフールでは台湾オリジナルのPB商品も作られ、中のクリームもバニラのほか、ピーナッツやタロイモ、レモン、ティラミスなどフレーバーも様々。特に「新貴派（シングイパー）」というチョコレートコーティングタイプのものは、どこでも見かける国民的愛されおやつ。私は冷蔵庫で冷やして食べるのがお気に入りです。

11月17日

食堂の調味料と辛さカスタマイズ

台湾の食堂や屋台ではテーブルや店の一角に調味料が置いてあり、カスタマイズしながら自分好みの味に調えたり、味変したりしながら出された料理を楽しみます。置いてあるものは黒酢かと思いきや実はウスターソースの「烏酢（ウーツー）」やチリソースの「甜辣醬（テェンラージャン）」、水餃子店ならとろみ醤油の「醤油膏（ジャンヨウガオ）」などが多く、唐辛子のオイル漬け「辣椒（ラージャオ）」はその中でも見かけることも周りの使用率も高いので、台湾人にとってマストな調味料なのだということがわかります。この辣椒もまた、店によって辛さが様々。各店こだわりもあるようで、すごく辛いものを置いてある場合もあるので、少しずつ味を見ながら足すのが正解。その他、屋台料理や火鍋ではあらかじめ辛さを聞かれることが多く、その場合、辛さのレベルに応じて「小辣（シャオラー）」・「中辣（チョンラー）」・「大辣（ダーラー）」と伝えます。

11月18日

快適なプラチナシートの長距離バス

台北から台中、台南、高雄などへ移動する時、便利なのは新幹線ですが、時間に余裕のある時は高速バスの客運（クーユン）を利用することも。一番のメリットは費用がかなり抑えられること。料金は新幹線の半分以下で、平日割引などもあります。時間はかかりますが、基本のシート配列が3列なので座席はゆったり。USBやWi-Fiも完備しています。主に統聯客運（トンリェンクーユン）、國光客運（グォグァンクーユン）、和欣客運（フーシンクーユン）というバス会社が24時間体制で運行を行っているのですが、特に和欣客運のバスは白金臥艙（バイジンウォツァン）（プラチナキャビン）、頭等商務艙（トウダンシャンウーツァン）（ファースト・ビジネス）、豪華経済艙（ハオホァジンジーツァン）（デラックスエコノミー）とバスにランクづけがされていて、高雄線に使用されている白金臥艙は全14席の2列配列。シートもフルフラット感覚でマッサージ機能付きとかなり贅沢。高雄までの所要時間は約5時間ですが、プラチナキャビンなら眠ったり動画を観たりなど、ゆったりと移動できます。

19 | 十一月

11月19日

ホルモンベイビーとママソの謎

ある時からやたらと見かけるようになった同一人物による壁の落書き。可愛いようで不気味なようで。時にはトラックの車体などに描かれていることもあり、落書き的なものだしいいのかな、なんて勝手に心配したりハラハラしたりしていました。でも、仰天したのが、いつかのランタンフェスティバルに行った時。あの落書きが作品として展示されていたのです。作者は大腸王（ダーチャンワン）（CYH Jayson）というアーティストで、そして例のキャラクターは大腸寶寶（ダーチャンバオバオ）（ホルモンベイビー）ということが判明。なんとホルモンだったよう。偽物もいるようですが、台湾のバンクシーなどとも言われ、台湾ビームスとコラボしたTシャツやグッズなども目にするように。同様に、近頃南部でよく見かけるのが「ママソ」とカタカナで書かれた文字とネズミのイラスト。調べても情報がまだあまり出てこないのですが、こちらもかなり気になっている存在です。

11月20日

ヘルシーなガチョウ肉に注目！

台湾では日常的に食べるお肉の種類が豊富。特に外食となると豚、鶏、牛、羊、鴨、そしてガチョウ肉の鵝肉（アーロウ）も専門店があるくらい人気です。ガチョウと言えばフォアグラのイメージがありますが、台湾の専門店でいただくのはお肉の部分。低脂肪、低コレステロール、高たんぱく。ビタミンB群、カルシウム、マグネシウム、亜鉛などの栄養素も豊富なので、食事療法などにも適したヘルシーな食材としても台湾では知られています。台北にある「阿城鵝肉（アーチャンアーロウ）」はミシュランビブグルマンにも選出された有名店。いつ行っても人だかりができています。こちらでいただけるのはスモークした鵝肉。ジューシーで味わい深く、一度食べるとハマる人が続出。部位は胸肉とモモ肉から選べます。鵝肉のオイルがかかった白米も美味しくて、それと茹で野菜はマストで注文。おかずの種類も豊富なのでバランスよく美味しい食事を堪能できます。

11月21日

台湾で一番長い地下書店街

巨大な地下街になっている台北駅→149/365。「R區（中山地下街）」と呼ばれるエリアはMRT台北駅から淡水信義線の中山駅、そしてその先の雙連駅までの2駅分を結ぶ、全長815mの地下街です。中山駅から雙連駅までの約300mは2006年から書店街として、いくつもの書店が立ち並んでいましたが、いつもブックバーゲンなどをしているような、どこか寂れた雰囲気でした。2017年、運営会社が誠品書店に代わったことから、書店街全体を大胆にリニューアル。「誠品R79」として誠品らしいモダンでアカデミックな空間に生まれ変わりました。冷房の利いている地下は猛暑日や雨の日は本当に助かる存在。書店のほかにも、文具、音楽、カフェ、雑貨などのショップが並んでいるので、中山駅や雙連駅を利用した際は、お店を見ながらひと駅分歩こうかなという気分に。台湾にいると自然と歩数が増えていくのはこういうところなんですよね。

22 | 十一月

11月22日

小雪にはみんなで羊肉爐（ヤンロウルー）

11月22日前後は二十四節気の小雪。台湾でもそろそろ寒さを感じる日が増えてくる頃です。やはり冬が近づくにつれて、身体の中から温まる鍋ものはより美味しく感じられるもの。鍋全般を火鍋と呼び、驚くことに真夏でも1年中お店が営業しているほど、台湾人にとって鍋は身近で人気のある食事ですが、特に養生食でもある羊肉を使用した羊肉爐はこの時期から冬にかけて食べたいメニューです。羊とありますが、実は台湾で羊肉とされているのは山羊。山羊も羊もクセが強いイメージでしたが、台湾でいただく羊肉はかなり食べやすい印象です。スープはもちろん漢方がたっぷり。羊肉は骨付きのまま豪快に。なぜかストローが提供されるのですが、これは最後に栄養があるとされる骨髄の液をストローで飲んで〆るというのが定番の味わい方。なかなかワイルドですが、みんなで食べる羊肉爐は楽しさもあり、身体がほかほかに温まります。

11月23日

台湾のかわいいは足元にも

台湾に来てから、足元の写真をよく撮るようになりました。常に下を向いて歩いているわけではありませんが、少しだけ意識して歩いていると、レトロなタイルや模様の入ったマンホールなどが目に飛び込んできます。古いものを大切にする台湾。昔ながらの建物や、リノベスポットでも床は古いものを残しているところが多く、モザイクタイルで描かれた幾何学模様は建物の数だけデザインがあるのではと思えるくらいに柄は様々。柔らかい色合いのものが多く、やはりどこか昭和レトロに通じる可愛さがあります。人工大理石「磨石子（モーシーズ）」の床も台湾のレトロ建築には多く、色付きの磨石子で動物やお花などを描いている床などに出会うとあまりの愛おしさに写真を撮らずにはいられません。古い建物が多い、迪化街や台南ではそんな床に出会える確率が高いので、やはりカメラは必須アイテム。タイル写真はお気に入りのコレクションです。

11月24日

猫の村と呼ばれる猴硐(ホウトン)

台湾には「猫村」と呼ばれる街があります。正式には「猴硐」という小さな街で、その昔炭鉱で栄えていた歴史があります。呼び名の通り、街のあちこちを猫たちが自由気ままに歩いているほか、猫のイラストやオブジェなども至るところにあり、地域全体で猫村を盛り上げています。猫たちはきちんとボランティアをはじめとした住民たちにワクチン接種や餌などの世話をしてもらっているので、みな毛艶もよく、観光客が沢山訪れてものんびりくつろいでいるような穏やかな子ばかり。とても人懐っこいのです。猴硐へは台北駅から台鉄のローカル線で約50分とプチトリップ向きの場所。村には猫カフェも点在しているので、猫を眺めながらのんびりお茶をするのが猫村でのお楽しみ。お土産には駅前で売っている、猫形のパイナップルケーキがここならでは。ランタン上げで有名な十分や九份へも近いので、あわせて訪れることもできます。

11月25日

やみつきになる臭豆腐（チョウドウフ）

夜市や観光地を歩いていると、日本では馴染みのない、人によっては異臭と感じる香りが漂ってきます。その正体は「臭豆腐」。文字通り、豆腐を発酵液に浸し、臭いの成分を染み込ませたもの。台湾人はこれが大好きで、若いカップルが屋台で臭豆腐を仲良く食べている姿などもよく見かける光景です。私も興味はありながらも最初に口にするまでは勇気がいりましたが、食べるほどに美味しさがわかり、いまではかなりの好物。主な調理法は焼く、煮る、揚げる。ビギナー向けとも言われるカリッと揚がった臭豆腐は臭みも少なく、付け合わせの台湾キムチと一緒に食べると、キムチのほどよい酸味と甘辛いタレ、そして臭豆腐の香ばしさのバランスが最高で、これを食べないのはもったいない。豆腐の街と呼ばれる「深坑老街（シェンカンラオジエ）」は台北からバスで20分ほど。気軽に行け美味しいお店も多いので、臭豆腐目当てで訪れたくなります。

11月26日

朝の公園と健康づくり

台湾の街の小さな公園には遊具のほか、空中歩行器やウエストひねり、背中伸ばしなど、自由に使える健康器具が設置されているので、それを使って中高年のみなさんが和気あいあいと健康づくりをしています。特に早朝は賑やかで、太極拳やオリジナルメソッドの体操、そして音楽に合わせて踊るおばちゃんダンサーズなどがあちらこちらに。その後は社交ダンスなどがはじまり、とても生き生きとしている様子が伝わってきます。夕方や休日は子どもと健康器具で身体を動かす高齢者が一緒に公園にいるので、それも安心感があっていいですよね。友人の80代近いママは、朝は5時頃に起き、体操に出かけた後、市場で買い物をするのが日課。朝が苦手でついだらだら過ごしてしまう私は尊敬とともに、ママのようなヘルシーな朝の過ごし方が憧れのライフスタイルです。

11月27日

ペットボトル台湾茶と紙パックミルクティー

コンビニやスーパーに並ぶペットボトル飲料のラインナップは日本とよく似ています。中でもお茶は人気。烏龍茶、緑茶、ほうじ茶、麦茶、紅茶のほか、台湾らしい茶葉にこだわった凍頂烏龍茶や四季春茶、文山包種茶などなど、各飲料メーカーがしのぎを削り新しい商品も次々販売されるので、把握できないほどの種類が並んでいます。商品によっては甘さを加えているものもあるので、「無糖」の表示は必ずチェック。ワンランク上の台湾茶を楽しみたければ、ファミリーマートオリジナルの茶葉入りボトルがおすすめ。手頃な価格で贅沢な味わいを楽しめます。紙パック入り飲料も充実していて、注目したいのはミルクティー。紅茶の種類やミルクの濃さなど、各社こだわりのミルクティーがずらり。飲んでみるとやはりさすがの美味しさなのです。普段甘い飲み物はあまり飲みませんが、台湾の紙パックミルクティーはつい色々試したくなります。

11月28日

屋内レジャーはエビ釣り

台湾の釣り堀にいるのは「エビ」。しかもエビの餌は干しエビとなかなかシュールですよね。有名なのは士林の郊外で、自然に囲まれた場所に大型のエビ釣り場が並んでいます。観光名所の故宮博物院→48/365の少し先にあるので、バスの本数も多く、郊外とはいえ案外気楽に訪れることができます。1時間350元、2時間600元が相場で、釣り竿は無料。常連さん達は籠いっぱいに釣っていますが、なかなかこれが難しい。素人の私は1時間に2匹釣れればいい方。かなりコスパは悪いのですが、ぼんやりとエビを待つひとときや、釣れた時の嬉しさ、そして新鮮な焼きエビの美味しさを知ってしまうと「次こそは！」とリベンジを誓ってしまうのです。24時間営業や明け方まで営業しているところが多く、ほとんどのお店が熱炒(ルーチャオ)→150/365のようになっているので、釣ったエビと合わせてビールや食事を楽しめます。

11月29日

陶磁器の街・鶯歌（インガー）で茶器を揃える

茶芸館で台湾茶を楽しんだ後は、やはりあの可愛らしい茶器が欲しくなります。そんなことを友人に伝えると、台北から在来線で30分ほどの場所にある「鶯歌」は陶磁器の街で、問屋さんも多いので手頃な値段で茶器も手に入るとのこと。早速訪れ、茶器や食器を扱うお店がずらりと立ち並ぶ鶯歌老街で色とりどりの台湾花布柄の茶杯や、蓋椀と茶杯がセットになったものなどを購入しました。その後も何度か足を運び、ひと通りのお茶の道具は揃えましたが→336/365、お店の数に対して、鶯歌はあまり情報がないので、やっと頭の中にお気に入りのお店の地図ができ上がったところです。スタイリッシュな茶器も揃う「Eilong 宜龍（イーロン）」、素朴なイラストと、縁起のいい文字が手書きで描かれた温もりのある陶器を作っている「立晶窯（リージンヤオ）」、台湾花布柄やシンプルな茶器などは「和昇茶陶坊（フーシャンチャタオファン）」というお店の品揃えが好みで、行くと必ず立ち寄ります。

11月30日

郵便局のダンボール

ちょっとした日用品で好きなものは色々あるのですが、台湾の郵便局で販売しているダンボール「便利箱（ビェンリーシャン）」もそのひとつ。きりっとした白いハトが大きく描かれていて、くちばしのオレンジとビビッドな黄緑色の背景がアクセントになっています。このハトは「幸福之鴿（シンフーズーグー）」（幸せのハト）と呼ばれ、2006年に登場。シンプルだけれど明るく可愛らしさのあるデザインが魅力的です。ひと目で台湾のダンボールとわかるので、日本にいてこの箱が届くといつもワクワク。一番大きなものが約39.5 × 27.5 × 23cmの小包用。ポスター用の細長いものなどもあり、全部で5種類。箱代として65～110元を支払いますが、国内であれば一律この箱代のみで送ることができ、再利用するとさらに割引とエコでもあるのです。海外発送の場合は、この箱代が送料から引かれるシステムになっています。

12月1日

宜蘭（イーラン）へプチトリップ

台北からのプチトリップ先としても人気の宜蘭。北東部にあり、鉄道で約1時間半、車や高速バスなら山を抜け1時間もかからずに到着します。人気スポットだけあり、土日は渋滞することも多く、もう少し時間がかかることもありますが、いずれにしても気軽に訪れることのできる街。海と山に囲まれたのどかな街で、隣町の礁渓（ジャオシー）には温泉もあるので温泉宿に宿泊するのもおすすめです。宜蘭出身の絵本作家ジミー・リャオ→180/365 の世界観が再現された駅前を出発し、古い建物が残る旧市街をのんびりお散歩。名物グルメは宜蘭特産ブランド葱の三星葱をたっぷり使用した小籠包。行列必至の人気店「正好鮮（チェンハオシェン）肉小籠包（ロウシャオロンバオ）」でいただく小籠包は葱の甘みが溶け出した肉汁がたまらない美味しさ。レストランのものとはひと味違う庶民派小籠包もぜひとも押さえておきたい、とっておきの台湾グルメです。

12月2日

カバランの蒸留所で美味しさの秘密を探る

台湾を代表するウイスキーブランド「カバラン」(噶瑪蘭(ガーマーラン))は宜蘭に蒸留所があります。アクセスは宜蘭駅から車で20分ほど。路線バスやタクシーで訪れることができます。蒸留所の後ろには台湾5大山脈のひとつである雪山山脈がそびえ、そこから流れる天然水をウイスキー作りに利用しています。カバランの名はこの地に暮らしていた原住民「カバラン族」から名付けたもの。思わず深呼吸したくなるような自然豊かな場所で、ここに来るとその美味しさの理由がわかるような気がします。世界的にも評価が高いこの蒸留所は無料で見学も可能。別の棟では物販のほか、午前10時～午後5時（12～午後1時は除く）の間は、専用の空間にて、30分に1回の入れ替え制で試飲が行われています。また、予約制でウイスキーをブレンドして300mlのオリジナルウイスキーを製作することができる有料DIYブレンド体験なども行われています。

12月3日

宜蘭とあわせて訪れたい羅東（ラードン）

宜蘭に来たら、合わせて訪れたいのが隣町の「羅東」。台鉄のローカル線で3駅ほど。乗車時間はたった11分で到着します。日本統治時代には林業で栄えた街で、自然公園と日本家屋を利用したカルチャースポットの羅東林業文化園区ではその面影を感じることができます。台湾伝統工芸の人材育成や継承を目的に作られた国立伝統芸術センターは広大な敷地内にホテルなどもあり、20世紀初頭の古い街並みを再現した園内で伝統文化に触れながら、食事や買い物、DIY体験ができるスポットです。そして夜のお楽しみは羅東グルメが勢ぞろいした羅東夜市。なかでも、三星葱を巨大な餃子の皮のような生地にたっぷり包み揚げ焼した「三星葱餅（サンシンツォンビン）」や白玉団子がたっぷり入ったお汁粉「羅東紅豆湯圓（ラードンホンドウタンユェン）」は忘れられない美味しさ。ご当地グルメの底力を思い知らされます。

12月4日

台湾フルーツの美味しさを閉じ込めたドライフルーツ

迪化街→12/365を歩いていると、店頭にドライフルーツを並べているお店がいくつもあります。試食できるお店もあるので、自分好みのドライフルーツを探してみましょう。台湾産のフルーツの味をぎゅっと閉じ込めたドライフルーツは旬が終わった後でもその味わいを楽しめるのが魅力です。私のお気に入りはやはりマンゴー。台湾産愛文マンゴーのドライフルーツは大きな1枚がマンゴー1/2個分。砂糖を使っているものと無糖のものがありますが、無糖でも充分甘みを感じるので私はいつも無糖を選びます。ヨーグルトに一晩つけておくと、水分を吸ってマンゴーがフレッシュに近くなる通称「おかえりマンゴー」はおすすめの食べ方。そのほか、パイナップル、ドラゴンフルーツ、ミニトマトのドライフルーツは何度も購入しています。薬膳に興味のある方はローゼルや龍眼→122/365なども手頃な価格で手に入るので、ぜひチェックしてみてください。

12月5日

艋舺青山宮（モンシァチンシャンゴン）と青山王祭典

台北最古のお寺「龍山寺（ロンシャンスー）」→277/365 のある萬華（ワンホァ）エリアは歴史と下町風情を感じられる街。2010年に大ヒットした台湾映画『モンガに散る』はかつて艋舺（モンシァ）（台湾語でバンカ）と呼ばれていたこの街が舞台。映画の中で何度も登場する艋舺清水巖（モンシァチンシュィイェン）は艋舺青山宮、龍山寺とともに、このエリアで訪れるべき3大廟宇と言われています。艋舺青山宮は古い商店街の中にあり、正面からはこぢんまりとして見えますが、中に入ると3階建てでさすがの豪華さ。祭事には立ち姿の神様がずらりと並び、独特の雰囲気に圧倒されます。祀られている青山王は三国時代の将軍「張滾（チャンガン）」。艋舺の守護神として地域の人々からの信仰は篤く、毎年、誕生日とされる旧暦10月23日には萬華を挙げての盛大な拜拜「青山王祭典」が行われます。派手に爆竹を鳴らしながら青山王が顔にペイントを施した将軍たちを引き連れ、夜の萬華を練り歩く夜間巡行は名物行事。台湾各地から見物客が訪れます。

台湾の菜食文化

台湾のベジタリアン・ヴィーガン人口は2020年に300万人を超えました。これは人口の13%にあたる人数で、世界で2番目に多いそう。宗教的な理由での人もいれば、近年は健康や環境保護の観点から一種のカルチャーとして若者にも浸透している傾向にあります。菜食のことを「素食（スーシー）」といい、素食専門のカフェやレストランも多いほか、一般的なお店や市販の商品も、素食メニューはどこでも当たり前のように用意されています。メニューの豊富さや、もどき料理のレベルの高さには感動することも多く、ミシュランビブグルマンに選ばれた四川風素食レストラン「祥和蔬食料理（シャンフーシュシーリャオリー）」が提供する、鶏肉もどきの大豆ミートと唐辛子を炒めた「宮保素雞丁（ゴンバオスージーディン）」などはぜひ味わってみて欲しい一品。誰かと一緒に食事をした際、「これがお肉じゃないなんて！」の言葉が聞けると、なぜか私までもが誇らしい気持ちに。それくらいハイレベルな素食レストランです。

12月7日

お天気に振り回されるシーズンのはじまり

天気が不安定な12月。二十四節気ではちょうど大雪の時期。台湾でも季節は確実に冬に向かっていますが、ある日突然30℃を超える日があったり、はたまた連日雨が降り続き、ニットや薄手のダウンが必要だったりと、ちょっと振り回されてしまう日々が続くので、朝は気温を確認してから着るものを選びます。特に台北は一度雨が降ると数日続くこともざら。湿度も高いため、洗濯物が乾かなかったり、カビも発生しやすくなるので、革製品などは注意が必要。ブランド品のバッグや皮のジャケットにカビが！というのはあるあるで、私も経験済です……。それでもいきなり気温が高くなる日は、まさに南国の恩恵。どこか気分もウキウキし、こんな青空はしばらく見られないかも！と何もかも投げ出して、お出かけしたくなってしまうのです。

12月8日

廟の近くに美食あり

台湾では「大きな廟やお寺の周りには必ず美食あり」とされ、参拝後に食を楽しむのもお決まりのコース。確かに龍山寺をはじめ、大稲埕の慈聖宮や美食夜市として有名な港町基隆の廟口夜市なども廟を中心に屋台が広がっています。そんな廟と美食との関係ですが、それを象徴するかのような場所が、台湾北部の新竹にある新竹都城隍廟（シンチュドウチェンファンミャオ）。ここは廟の中に屋台が並んでいるという珍しい場所。外観も入口が目立たないくらいに店の看板がずらりと並び、こんな光景は台湾の中でもここだけ。廟が見えてくるだけでそのパワフルな様子に期待が高まります。新竹は風が強いことから米粉（ミーフェン）と呼ばれるビーフンが名物。ちょっと太めで春雨のようなビーフンは他ではなかなか味わえないまさにご当地グルメ。屋台に囲まれるように神様は中央に祀られているため、参拝客と美食を求めに来たお客さんで境内は常に賑やか。活気ある廟なのです。

12月9日

薬膳スープ四神湯（スーシェンタン）

ちょっと疲れた時や、なにか身体に良いものをと思った時、まっさきに思い浮かぶのが薬膳スープ。特に「四神湯」ならメニューに取り入れている食堂や屋台も多いので、いつでも気軽に飲むことができます。「神」とついているのもなんだかありがたい感じ。四神とは淮山（ファイシャン）(乾燥山芋)、蓮子（リェンズ）（ハスの実)、芡實（チェンシー）（オニバスの実)、茯苓（フーリン）のことで、それにハトムギやモツを入れ煮込みます。漢方やモツの臭みなども感じられないので飲みやすく、風邪予防、脾臓や胃を強化するなどの効能があるとのこと。ハトムギもたっぷり入っているので、私はあわせて美肌効果も期待しています。迪化街やスーパーではキットなども販売しているので、モツを加えて自宅で簡単に作ることも。こういうスープを飲むたびに、医食同源を実感し、気軽に薬膳を取り入れられる台湾の食文化に惚れ込んでしまうのです。

12月10日

国家人権博物館と白色テロ

台湾には国家人権博物館があり、人権についての学びを深めることができます。かつて台湾では二二八事件勃発後→334/365、1949年から1987年までの38年間戒厳令が敷かれていました。政治的弾圧の白色テロが行われ、知識人や一般人、罪のない人々が政治犯として次々と収容所に送られ、監禁や拷問、そして冤罪による死刑執行などが行われていたのです。その収容所が台北の景美と離島の緑島にあり、当時の施設が公開されています。白色テロ時代を背景に、ゲームから生まれたホラー映画『返校』は2019年台湾で大ヒット。若者たちが過去の歴史を知るきっかけになったと言われています。2017年制作のアニメーション映画『幸福路のチー』も時代の流れがよくわかる作品。主人公は私と同世代。しかし子ども時代は戒厳令のさなかです。そこでようやくこれらは決して遠い昔の話ではないということと、平和ボケしていた自分に気づきハッとしたのです。

11 | 十二月

255 / 365

12月11日

大同(ダートン)磁器のテーブルウェア

台湾で食事をしていると、よく出会うのが裏面に「大同」の文字が入った食器。台湾を代表するレストラン「鼎泰豊(ディンタイフォン)」でも使用しているので、小籠包用にセットされたレンゲでその文字を目にしたことがある人も多いのでは。電鍋の「TATUNG（大同）」とは別会社です。1950年に創立し、1961年に日本の三郷陶器と技術指導提携。その技術を用いて生産した食器は耐久性にも優れ、台湾中で使われるように。企業ノベルティーとして使われることも多かったので、蚤の市や骨董品店などでは企業名入りのレトロデザインのものを見かけることがよくあります。私は、現在はもう生産されていない大同のレトロなバラ柄の食器が好きで→174/365、気に入ったものに出会うと購入していたのですが、近頃はスタンダードの白いシンプルなシリーズのものが気になりはじめ、少しずつ揃えたいと思っているところです。

12月12日

タロイモスイーツ色々

台湾の芋といえば芋頭（ユートウ）と呼ばれるタロイモ。加熱したものは薄紫色の優しい色合い。さつま芋のような甘さがあるわけでもなく、どこかぼんやりとした味ですが、ふんわり南国の香りがします。火を通した食感はサトイモのようで、料理にもお菓子にもと広く使われる万能野菜。お団子にした「芋圓（ユーユェン）」は、豆花など伝統的な台湾スイーツのトッピングによく使われていますが、タロイモそのものの美味しさを堪能するのなら、基隆の老舗菓子店「連珍糕餅（リェンチェンガオビン）」が作る「芋泥球（ユーニーチョウ）」が絶品。タロイモ版焼かないスイートポテトといったお菓子で、いつ訪れても飛ぶように売れています。ほかには、屋台やドリンクスタンドでも販売している、タロイモミルク「芋頭鮮奶（ユートウシェンナイ）」も飲むタロイモといった感じのドリンクで美味。まろやかなミルクと優しいタロイモの風味にほっこり癒されます。

12月13日

台湾人が不思議に思う人気土産

日本人がお土産でよく購入する台湾雑貨には、「漁師網バッグ」と呼ばれるナイロン製トートバッグや刺繍入りチャイナシューズ、台湾花布を使ったポーチなどがあります。どれも手頃な値段でほんのりレトロテイストなのが「台湾らしくて可愛い」と人気。私も心から可愛いと思っているので、お土産にもするし、自分でも愛用しているのですが、どうやら台湾人にとってこれらは「阿媽（アマー）」（台湾語でおばあさん）が使うものというイメージで、「可愛い」と日本人が買い漁っているのが不思議だったそう。「可愛い」の価値観の違いなので、それはそれでいいのですが、油断できないのが、近頃の台湾では、自分たちの伝統やいいものを見直そうという視点でものづくりをしている人たちが増えていて、それらを活かした「さらに可愛い」アイテムが続々と生み出されていること。嬉しいけれど、ますます財布の紐が緩くなってしまいそうです……。

12月14日

天然成分の無患子（ウーファンズ）コスメ

過去には馴染みのないシャンプーがずらりと並ぶコーナーで、何を買っていいのかわからず立ちすくんだこともありましたが→148/365、その後色々と試し、コストパフォーマンスや使用感などをトータルに考え、わからない時にはこれを買っておけば安心、というところに辿り着いたのが「無患子」、ムクロジを使用した製品です。無患子は龍眼→122/365 のような見た目で、その皮の部分に泡立ち物質のサポニンを含むため、昔は日本でも石鹸として使用していたそうですが、台湾では「古寶無患子（グーバオウーファンズ）」というブランドが無患子を使用した石鹸やシャンプー、そのほかにも洗濯用石鹸やスキンケアなども製造しています。商品数はかなり豊富で、いちばんのロングセラー商品は石鹸。はじめて使用したときは泡立ちの良さに驚きました。天然成分というところも台湾では愛されている理由のようです。

12月15日

北投(ベイトウ)の温泉街と温泉博物館

浴槽がない物件も多いので、日常で湯船に浸かるという習慣がない台湾ですが、実は温泉天国。寒い時期には賑わいを見せます。台湾の温泉は1894年に北投で発見され、日本統治時代に温泉文化が浸透しました。北投はMRTで気軽に訪れることができる温泉街。日本から進出した「加賀屋」をはじめ温泉付き宿泊施設が立ち並んでいます。緑溢れる大きな公園があり、その横には小川が流れ、公衆浴場や湯気が立ち上る地熱谷など情緒たっぷり。日本の温泉地を思わせる雰囲気です。公園の中には1913年に建設された台湾初の公衆浴場をリノベーションした温泉博物館があり、見学は無料。とてもモダンな建物で、台湾で日本統治時代の建築物は沢山目にしてきましたが、銭湯という庶民の暮らしの中にある日本文化を感じられるものだからか、懐かしさと不思議な気持ちに包まれました。銭湯として再びオープンしてほしいと願いたくなるほど素敵な施設です。

12月16日

北投の美しい図書館

北投はどこか心惹かれる街。ふらり足を運びたくなるのは、まず1つめは温泉街に漂う非日常的な雰囲気が好きだから。そして2つめは駅前の北投公園内にある台北市立図書館北投分館を訪れたくなるから。大きな木造建築は周囲の自然との調和が美しく、海外メディアが選ぶ「世界で最も美しい図書館ランキング」の常連。何度訪れてもほれぼれしてしまいます。建設は2006年。屋根には太陽光パネル、トイレの排水や植物の水やりは雨水を利用、建材や内装に使用する塗材なども環境に配慮するなど、台湾初の緑の建築・グリーンビルディングとしても当時は注目を集めました。ウッディな館内は自然光がたっぷり差し込む大きな窓やテラスが設置され、公園の緑を眺めながら読書が楽しめるなど自然とリラックスできる環境で、こんな図書館が近くにあったらと訪れるたびに思ってしまうのです。

17 | 十二月

12月17日

12月は台北マラソン

台湾でもマラソンは人気のスポーツ。毎月どこかしらでマラソン大会が開催されています。毎年12月の第3日曜日は最大規模の「台北マラソン」が開催。1986年にスタートした国際大会で2022年は約28000人が参加しました。台湾は距離が近い上に時差も1時間しかないので走りやすいと日本人ランナーの参加者も多く、公式サイトには日本語ページもあるくらい。旅行を兼ねて訪れるランナーも多いようです。フルマラソンとハーフマラソンがあり、それぞれスタートは午前6時半と7時。雨の多い季節なので、天候は運次第のところもありますが、台北101がよく見える台北市政府前の市民広場を出発し、前半は国父紀念館や中正紀念堂、西門紅樓、台北駅など名所を通過しながら台北の街を走り抜けます。

ちなみにマラソンは中国語で「馬拉松（マーラーソン）」。とても覚えやすい単語です。

12月18日

ケンタッキーのエッグタルト

台湾でもケンタッキー「肯德基（ケンダージー）」は人気で、マクドナルドと同じくらいどこででも見かけるファストフードです。チキンももちろん美味しいのですが、台湾ケンタッキーで食べておきたいメニューといえばエッグタルトの「蛋撻（ダンター）」。台湾以外にも香港や中国など中華圏で販売しています。台湾では1998年にマカオの有名店「澳門瑪嘉烈蛋撻（アオメンマージャリェダンター）」（マーガレット・カフェ・イ・ナタ）と代理店契約を結び、そのレシピを基に作られているとのこと。衰えない人気が美味しさを証明しています。マカオ式エッグタルトなのでサクサクのパイ生地に少し焼き目のついたカスタードクリームが特徴。オーダーすると熱々を提供してくれます。オリジナルのほか、ブラックタピオカ入りやタロイモ入りなど、定期的に内容が変わる季節の商品などもあり、ちょっと甘いものが食べたい時にぴったりのおやつです。

12月19日

心がゆるむ街なかの日本語

台湾をはじめて訪れた時、結構度肝を抜かれ、でもこういうところが好きだなーと感じたのが街なかで出会う日本語でした。繁華街など、昔から日本人客が多い場所では、看板やメニューに日本語を併記してくれていることが多く、もちろん完璧な日本語のところもありますが、例えばマッサージ店では「マッサージ」が「マッサーヅ」に、レストランや食堂のメニューでは昔の翻訳機そのままといった感じでなかなかに意味不明。日用雑貨のお店でも、台湾製なのに、パッケージは日本語という商品が多く、そこに書かれた日本語は合っている方が逆にびっくりするぐらい。決してバカにしているわけではなく、むしろこのゆるさが本当にいいなと心底思ったのです。堂々と間違えているちょっとおかしな日本語を目にするうちに、どちらかというと完璧主義だった私は、もうちょっと肩の力をゆるめていいのかもと思えるようになりました。

12月20日

台北駅裏の問屋街

台北駅の裏側は問屋街になっていて「後火車站商圏（ホウフォチャチャンシャンチュエン）」と呼ばれています。立地がいいのでビジネスホテルや昔ながらの安宿、近頃はお洒落なリノベホステルなどの宿泊施設も多いエリアです。ストリートごとに特色があり、太原路（タイユェンルー）にはラッピング用品や製菓道具、多種多様な瓶や食器などを取り扱うお店などが点在。パーティーグッズやウエディング用品なども多く、季節によってはクリスマスや春節の装飾品を販売するなど、日本の浅草橋のような雰囲気。私はいつもお土産の小分け袋にちょうどいいシースルーのラッピング袋や食品用のファンシーパッケージ→213/365、大同磁器の食器→255/365 やパイナップルケーキの型などを買うのに足を運び、商圏内の華陰街（ホァインジエ）ではプチプラのアクセサリーなどをチェック。こまごまとした紙ものや日用雑貨が多いので、なにかお宝は眠っていないかと雑貨好きの血が少しばかり騒ぐ場所です。

12月21日

風邪っぽい時にドラッグストアで買うもの

風邪は中国語で「感冒（ガンマオ）」。温度差の激しいこの季節、油断するとすぐに風邪をひいてしまいます。まずいと思ったら、まずは市販薬に頼るのですが、以前そんな症状が出た時に友人が「これ飲むといいよ」と差し出してくれたのが「普拿疼（プーナートン）　伏冒熱飲（フーマオルーイン）」。普拿疼はイギリスの大手医薬品企業ＧＳＫのパナドール。伏冒シリーズは台湾のどこのドラッグストアでも見かける定番の風邪薬です。なかでも、「伏冒熱飲」はお湯で溶かして飲む風邪薬。金柑とレモンの柑橘系の風味が普通にホットドリンクとして飲める美味しさ。ビタミンＣも摂取でき、なにより温まるのでそれから愛用しています。錠剤に頼りたい時はパブロンやルルなど日本の薬も販売しているので、馴染みのものを購入しています。いずれにしても、こういう時でも困ることがないのが台湾の暮らしやすさのひとつです。

22 | 十二月

266 / 365

12月22日

冬至には湯圓(タンユェン)を食べる

12月22日頃は二十四節気の冬至です。台湾でも上着を羽織るのが日常になってくる頃。冬至は陰の気が最も強く、この日をピークにサイクルが変わり、今度は夏至に向け、陽の気がどんどん増えていくと言われています。台湾では冬至に円満や団欒を意味する丸い白玉団子「湯圓」を食べるというのが伝統的な風習。食べる個数にもジンクスがあり、対を意味する偶数個がよいとされ、奇数は翌年の孤独を意味するため避けるそう。湯圓の有名店などはもちろん大忙し。当日気軽な気持ちで立ち寄ってみると、あまりの行列に断念したことも。友人の会社などはおやつに配られるそうです。湯圓は冷凍食品として通年販売されているのですが、伝統的なゴマやピーナッツ入りのほか、近頃はミルクティーや抹茶など次々と新商品が発売され、おうちで楽しむ湯圓はかなりバラエティーに富んでいます。

23 | 十二月

12月23日

台北アリーナでライブ体験

MRTの駅名にもなっている「台北小巨蛋（タイペイシャオジュダン）」とは台北アリーナのこと。駅からすぐでアクセスは抜群です。ガラス張りの壁面は巨大モニターになっていて、夜になるとアーティストの映像などが流れとても煌びやか。ライブも頻繁に開催されるのでよく人だかりができています。収容人数は15000人。日本からもMr.childrenや安室奈美恵さんなど、数多くの大物アーティストがここでライブを行いました。旅行を兼ねてライブに来る日本のファンの方も多く、これも台湾と日本の距離の近さならではですよね。ただ、台北アリーナには不思議なルールがあり、ライブ中のジャンプは絶対禁止。近隣住民から揺れるとの苦情があり、かなりシビアな問題になっています。最近は5000人規模の南港にある台北流行音楽センターを利用するアーティストも多く、建設中だった台北ドームもいよいよ完成。台北のライブ環境も変化していきそうです。

24 | 十二月

12月24日

台湾のクリスマス

台湾のクリスマスは実はそんなに盛り上がっていません。なんとなく友達と集まりワイワイする程度で、チキンやケーキ、そしてプレゼントといった過ごし方でもないのです。それでも、台北駅構内や高級ホテルでは巨大なツリーを飾り、台北101がある信義区エリアでは煌びやかなイルミネーションを行うなどの演出はされていて、なかでも一番盛大なのは新北市板橋で毎年開催する「新北歡樂耶誕城（シンペイホァンラーイエタンチャン）（新北市クリスマスランド）」。駅前全体がイベント会場となり、毎晩巨大ツリーにプロジェクションマッピングショーを行うなどかなりの見応え。ここでなら存分にクリスマスムードが味わえます。ただ、不思議なのがどこも1月を過ぎてもツリーが飾ってあること。お正月の本番は旧正月だし、せっかく綺麗なのだから、それまで楽しもうよということなのかなと眺めています。

12月25日

フードもさすがな台湾カラオケKTV

KTVとはカラオケのこと。卡拉OK（カラオーケー）とも言いますが、大型店などは主にKTVと呼ばれています。台湾でもカラオケは大人気。大人数でパーティー的に使うことも多く、例えばクリスマスや台風休暇→157/365、二次会などはカラオケが定番。なにかを発散させるかのように、わいわいと唄ったり踊ったりと各々が自由気ままに楽しみます。カラオケボックス自体のスケールも大きく、特に銭櫃（チェングイ）、星聚點（シンジュデェン）、好樂迪（ハオラーディ）などはチェーン展開していて、フラッグシップ店などはビル一棟まるごとなど、お店もかなりゴージャス。それぞれの個室にトイレが完備されていることが多いのも台湾KTVの特徴かもしれません。そしてどこもさすがなのがフードへのこだわり。ロビーにビュッフェがあるところもあれば、銭櫃は牛肉麵が美味しいことで有名。きっと誰もが一度は食べたことのある味のはずです。

12月26日

逃げ道がない台湾の冬

台湾だから冬も暖かいのだろうと思っていたらとんでもない。湿度が高いため実際の温度よりも体感温度は低め。寒い時はとことん寒く、建物なども南国仕様。風通しはよく、床はタイルなので、冬はひんやり底冷えです。ホテル含め、クーラーに暖房機能はほぼついていないので、室内でもダウンやコートを着用し、温かいものを食べるなどしてやり過ごす人がほとんど。簡易ヒーターがあればいい方で、なぜか換気のためという理由で冷房を入れているところも。せめて浴槽があればお風呂で芯から温まることもできますが、残念ながらシャワーのみ。なんだか逃げ道がないのです。気温は15℃前後で推移しますが、10℃を下回ることもあり、そうなるとかなり覚悟が必要です。寒波が到来すると合歓山や陽明山では積雪のニュースが流れ、好奇心旺盛な台湾人は張りきって写真を撮りに出かけます。そしてそれもまたニュースに、というのもある意味この時期の風物詩です。

27 | 十二月

12月27日

聞かれて困るこの時期の服装

12月から3月頃まで、聞かれて一番困るのが服装のこと。本当に変動が激しいので→251/365、まずは温度を確認し、それに合わせた服装をとしか答えられないのです。ベースは重ね着できる秋くらいの服装でいいかなと思うのですが、台湾人は大体20℃を下回るとユニクロのウルトラライトダウンを羽織っています。私は15℃くらいになると完全に寒いので、外出時はヒートテックにニット、タイツを履いて、足元はムートンブーツと完全に冬の服装です。さすがに地元北海道にいる時のようなウールのコートや本格的なダウンまで着ることはないので、薄手のコートで乗り切りますが、首元にマフラーを巻いてしっかり暖かくすることも。旅行者の方はいざとなったら台湾で購入して乗り切るのももちろんあり。便利なのは台湾版ユニクロとも言われる「NET」。品質はそこそこですが、店舗も多く、リーズナブルに今っぽさがある洋服が手に入ります。

12月28日

落ち着くレトロ喫茶店

カフェ天国の台湾、どこか昭和の喫茶店を思い起こさせるような昔ながらの喫茶店も多く、レトロ喫茶を巡ってみるもの楽しいものです。台北の中でも若者の街と言われる西門町にある「蜂大咖啡（フォンダーカーフェイ）」は駅からも近く、朝はトーストとハムエッグとコーヒーがセットになったモーニングも提供しているので、終日客足が途絶えない人気店。店頭では自家焙煎のコーヒー豆と、クッキーなど手作りの焼き菓子を販売していて、大きなガラスジャーに規則正しく積み上げられたクッキーはなんだか芸術的で訪れるたびに写真を撮りたくなってしまいます。クッキーのほかには台湾らしい中華菓子などもショーケースの中にあるので、甘い中華菓子とお店の特製ブレンドで味わうペアリングも乙なもの。台湾の甘いマヨネーズでハムと卵をサンドしたトーストサンドも美味しくて、通い続けたい名店です。

12月29日

夜食に食べたくなるカップラーメン

台湾人もカップラーメン「泡麵（パオミェン）」が大好き。夜食に食べる人も多いので、コンビニでも日本と同じくらいカップラーメンコーナーは充実しています。人気ランキングの常連はロングセラー商品の汁なしまぜ麺「維力炸醬麵（ウェイリーヂャジャンミェン）」やパッケージもレトロで目を引く「統一麵（トンイーミェン）」シリーズ。このシリーズにはスープビーフンもあり、あっさり食べられるので私もお気に入り。「滿漢大餐（マンハンダーツァン）」シリーズは牛肉麵。レトルトパウチに入った大きな牛肉が売りで、深みのあるスパイシーなスープが美味。台湾ビールメーカーの台酒TTLが発売し、一時期は売り切れ続出だった「花雕雞麵（ホァデァオジーミェン）」は紹興酒（花雕酒）が香るスープが最大の特徴。パウチにはたっぷりの鶏肉とクコの実が入り、台湾らしい薬膳ラーメン。これがやみつきになる美味しさで、我が家でもストック食材の常連です。

12月30日

祝宴！シェフで知る伝統的な宴会文化

お腹が空く台湾映画と言えば2013年に台湾で公開された「總舗師（ゾンプーシー）」（邦題は『祝宴！シェフ』）。監督は台湾を代表するヒットメーカーの陳玉勳（チェンユーシュン）。日本でもリメイクされた『一秒先の彼女』も彼の作品です。舞台は台南、題材は台湾の伝統文化である辦桌（バンゾウ）料理。辦桌とは台湾語でバンドと呼ばれ、冠婚葬祭や宗教行事などの際、野外に円卓テーブルを並べ行う宴会のこと。時には何百人もの人たちが集まり一斉に食事をします。その料理を取り仕切るのが總舗師と呼ばれる総料理長。仮設キッチンでグルメな台湾人を唸らせる料理の数々を作り上げるのですから、相当な腕が必要なのです。映画では伝説の總舗師の娘が、父が残したレシピノートを基にコンテストに出場し、才能を開花させていくというストーリー。ユーモアに溢れ、楽しみながら台湾の食文化を知ることができる大好きな作品です。

12月31日

台北101のカウントダウン花火

台湾のお正月の本番は旧正月。なので、クリスマスが過ぎた後も年末感を感じることが少ないのですが、12月31日は台湾各地でカウントダウンイベントが行われ、年越しの瞬間は盛大に新しい年を祝います。旧正月を迎えることを「過年(グォニェン)」、そしてこの西暦の年越しを「跨年(クァニェン)」と呼び、この日の最大のイベントが台北101の花火。あの101階建てのビルに花火が仕掛けられ、建物に映し出されるカウントダウンが終わると、約300秒の花火ショーが始まります。101が燃えてしまわないか心配になるほどの花火は見応えたっぷり。これを見るため101の周辺には多くの人が集まります。風向きによっては煙で花火が全く見えないということもあるので、場所取りは結構重要。同時に、台湾各地ではカウントダウンに合わせた無料ライブが行われるのも恒例で、テレビで見かけるスターたちが続々出演する豪華なライブが楽しめます。

1月1日

台湾の1月1日

1月1日は台湾の開国記念日。毎年総統府では早朝5時頃より大々的なセレモニーが開催され、国旗掲揚が行われます。総統府では毎月1回特別参観日が設けられていて、普段は一般開放されていない部屋や、迎賓館として使用されている台北賓館を無料で見学することができます。通常は第1または第2土曜日ですが、1月は毎年1日が恒例。この日の見学者にはお年玉袋の紅包袋（ホンバオダイ）と正月飾りの春聯（チュンリェン）が配られるのですが、総統と副総統から直接手渡していただける時もあるようです。この日は祝日ですが、台湾では普通の休日といった雰囲気。翌日からはまたいつも通りの日常がはじまります。春節が1月であればこの後はすぐに年末ムード。街が浮足立ってくるのを感じます。旧暦文化に慣れていない頃はどこか違和感がありましたが、日本人であればお正月が2度訪れるようなもの。いまでは得した気分でいます。

1月2日

台北のパワースポット龍山寺（ロンシャンスー）

台湾のお正月の本番は春節といっても、日本人としてはやはり新年気分。初詣はしておきたいと、台北最古の寺院として観光スポットとしても有名な「龍山寺」へ。ここは早朝6時から夜10時までと開門時間も長く、多くの参拝客や観光客でいつ行っても人が途切れることはありません。「神様のデパート」ともいわれるパワースポットで、正殿と後殿には、仏教・道教・儒教、様々な宗教の神様が25柱も一堂に祀られています。家庭、学問、商売、恋愛、旅、病気、どんな願いもここ1カ所でお願いできてしまうことを考えるとその例えにも深く納得。台湾人の友人が「台湾人はいいと思ったものを上手にミックスさせて新しいものを作り出すことが得意、お寺だってそうでしょう？」と教えてくれたことを来るたびに思い出す場所です。

1月3日

下町らしさが魅力の萬華（ワンホァ）

龍山寺のあるエリアは「萬華」と呼ばれる下町。昔ながらの老舗やローカルな衣料品店が立ち並び、龍山寺の目の前にある艋舺（バンカ）公園ではまさに下町のおっちゃんというような人々がいつもたむろしています。華西街夜市（ホァシージエ）、廣州街夜市（グァンヂョウジエ）、梧州街夜市（ウーヂョウジエ）、西昌街夜市（シーチャンジエ）と龍山寺界隈だけでも４つの夜市があり、まさにガイドブックに載らないような老舗のグルメ屋台や食堂ばかり。食いしん坊にとってはぐいぐい攻めたい魅力的なエリアです。ただ、他の夜市と違うのはゲテモノ系の店やアダルト系の店も目立ち、特に夜は怪しげな客引きがぽつりぽつりと至るところに立っているので、健全な雰囲気ではないのは確か。住民も多く、大型ホテルが建設されるなど、観光スポットとして市も推しているので、そこまで怖がる必要もありませんが、それでも人気のない路地やどこか雰囲気の悪さを感じたら、それ以上進まないようにするなど心がけています。

1月4日

薬草街と青草茶（チンツァオチャ）

龍山寺の参拝後、楽しみにしているのが、1本隣のストリート西昌街（シーチャンジエ）にある薬草街「青草巷（チンツァオシャン）」に立ち寄ること。大きなアロエがぶらさがり、店頭にはわさわさと生命力のありそうな野草がこんもりと。見ていると、この葉っぱや植物には一体どんな効能があるのだろうと、ほかの食材とはまた違った好奇心が湧いてきます。現在は行われていませんが、昔は龍山寺で「薬籤（ヤオチェン）」という処方箋おみくじがあり、身体の調子が悪い時などはお参りに行き、薬籤に書かれた薬草をここで調合してもらっていたそう。店頭はドリンクスタンドのようになっていて、薬草茶をその場で飲んでいくことができるのですが、私がいつも買うのは「青草茶」。ミントが効いたすっきり風味で、夏バテ防止やデトックス効果があると言われています。

1月5日

冬はイチゴのシーズン

フルーツ王国の台湾。1年中様々なフルーツを目にすることができますが、可愛らしい真っ赤なイチゴは冬のフルーツ。草苺（ツァオメイ）と呼ばれています。12～3月頃が収穫シーズンで、生産地として有名なのは苗栗（ミャオリー）県にある大湖（ダーフー）。新竹と台中のちょうど中間あたりにある街で、観光農園も多く、イチゴ狩りはこの時期多くの人が訪れる人気のアクティビティーです。街中でも、イチゴのメニューが続々と登場。ドリンクスタンドではイチゴミルクやイチゴスムージー。かき氷店ではイチゴたっぷりのイチゴかき氷が冬だけのお楽しみ。中でも私が毎年楽しみにしているのは、台北の晴光（チングァン）市場入口付近にある香港スイーツのお店「双妹嘜（シュアンメイマイ）」の季節限定メニュー「草苺燉奶（ツァオメイドゥンナイ）」。卵白で作るやわらかなミルクプリンの上にフレッシュイチゴがたっぷり。美容にもいい養生スイーツです。

1月6日

身体を温めるお手軽薬膳茶

1月5日頃は二十四節気の小寒。毎日の気温差は相変わらずですが、寒い日はとことん寒いシーズンです。冬になると台湾でよく飲まれているのが乾燥ナツメ（紅棗）とクコの実（枸杞）を生姜（姜）と黒糖とで一緒にお湯で割った薬膳ドリンク。これにドライ龍眼（桂圓）→122/365 が入ることもありますが、身体が温まる、優しい甘さのホットドリンクです。ドリンク名は材料名をそのまま組み合わせ、龍眼とナツメ、クコの実が入ったものなら「桂圓紅棗枸杞茶」、黒糖と生姜のお茶なら「黒糖薑母茶」といった感じで、茶とありますが、お茶は入っていないノンカフェイン。黒糖にそれぞれの材料を合わせ固めたものが売られているので、お湯を注ぐだけで作ることが出来るほか→87/365 材料を揃えておけば、適当に組み合わせお湯を注ぐだけでも美味しいので、私はステンレスのタンブラーに作っておき、お茶代わりに飲むことも多いです。

282
/
365

1月7日

台湾のホテル

早朝から深夜まで出かけるのでホテルでは眠るだけという人もいれば、ホテルステイを楽しみたいという人まで旅においてホテルのニーズは様々。台湾のホテルは選択肢が多く、私も宿泊先を決める際はいつも非常に悩みます。価格と部屋のレベルのバランスは台北であれば東京と同じくらいの感覚で、3つ星で1万円前後といったところ。料金設定は1部屋当たりの料金が表示されているので、人数が増えると割安になりますが、シングル自体が少なく、ひとり旅にはあまり優しくないのです……。日系ホテルや日本語可のホテルも多いので、中国語がわからない場合にはそのようなホテルを選ぶと安心感があります。選ぶ際に気をつけているのは窓なしの部屋も多いので、その有無を確認すること。寝間着やコンディショナーなども置いていないところが多いので、このあたりも忘れずに持参しています。

1月8日

台湾のホステル

はじめて台湾のホステルに滞在したのは、語学学校の3週間プログラムに参加した時。4日以上台湾に滞在するのはその時がはじめてで、問題は宿でした。ホテルでは予算オーバー。学校の寮というのもすでに30代も半ば。同室の方に気を遣って過ごすのもどこか面倒に感じ、寮とホテルの中間の費用で収まる、ホステルの個室を利用してみることに。いまは世界各国、お洒落ホステルも増えていますが、当時はまだユースホステルが主流の頃。情報が少ないながらも探し出したところは、お洒落ホステルの先駆けのようなところで、カフェのようなパブリックスペースも決め手でした。共用のキッチンがあり、朝は簡単な朝食付き。水回りも綺麗で毎日清掃が入り、フレンドリーな台湾人スタッフとも仲良くなれたり、旅好きの友人も増えたりと、想像以上にメリットも多く、ホステルも悪くないかもとイメージが変わった経験となりました。

284 / 365

1月9日

やみつきになる血の食材

最初は馴染みのなさから抵抗感があったけれど、そのうち大好きになった食材といえば「鴨血(ヤーシエ)」と「豬血糕(ジューシエガオ)」。ともに血を使った食材です。鴨血はあひるの血を塩で固めたもの。麻辣火鍋の定番食材で、スープを注文すると、煮込まれた豆腐と鴨血が入った鍋がテーブルに運ばれてきます。おかわりも自由で、鴨血の美味しさが店の評判に繋がるほど、台湾人にとっても重要な食材。見た目はレバーのようですが、食感はぷるぷる。味は全くクセがなく、なにより麻辣との相性が抜群なので、ないとやはり物足りなさを感じます。豬血糕はもち米を豚の血で固め蒸したもの。辛いソースを塗り、ピーナッツ粉とパクチーをトッピングしたものが屋台でよく売られているほか、唐揚げ屋さん→286/365の具材としても定番。やはり味にクセはなく揚げ餅みたいで美味しいので、こちらもよく注文しています。

1月10日

言語交換と台湾人の友人

日本で1年ほど週1回の中国語教室に通い、台湾でお試しのような気持ちで3週間の春期講習と3ヶ月間の短期留学を経験。やっと初級を抜け出したくらいのレベルで台湾の生活をはじめました。学校に通い、暮らしたからといって急速に語学力が伸びるわけでもなく、そしてもっと自然に台湾人の友人も増えるのではと思い描いていましたが、現実の私は家と学校との往復ばかり。現状を打破したいとまずやってみたのが「言語交換」で日本語を学ぶ台湾人を探すことでした。ネットで検索するといくつかのサイトがあるので登録し、印象がよく、お互いの目的が一致しそうな数人と言語交換をスタート。カフェで勉強を教え合うということを半年くらい続けた気がしますが、そのうち気の合う子とはお出かけなどもするようになり、いまでも仲良くしてもらっている大切な友人です。

1月11日

ストリートフードの鹽酥雞（イェンスージー）と滷味（ルーウェイ）

台湾のストリートフードには店頭に並んだ食材から好きなものを選び、その場で調理してもらう食べ物がいくつかあります。代表的なものは「鹽酥雞」と「滷味」。「鹽酥雞」とは要は唐揚げ。台湾バジルとにんにくを一緒に揚げ、五香粉入りの塩コショウで仕上げます。一方、「滷味」は漢方入りの調味料で材料を煮て作る煮込み料理。味のクセが強そう……とずっとトライできずにいましたが、一度食べるともっと早く食べておくべきだった！と後悔するほどに美味。煮汁は醤油ベースで漢方のクセもなく、様々な食材を煮込み続けているだけあり、その旨味が煮汁に溶け込んでいます。何より油を使わないので、野菜やきのこを中心に選べばヘルシー。麺を入れれば主食にもなります。見た目もすごく地味なのに、屋台には若者の姿もいつもあるような、誰からも愛されるソウルフードなのです。

1月12日

圧倒される超高級デザインマンション

ローカルな虎林市場 →96/365 からYouBikeで台北101方面へと移動していた時のこと。路地を抜け、松高路（ソンガオルー）という通りに入りすぐ目に飛び込んできたのは、DNAの二重らせん構造のような不思議な外観の「陶朱隠園（タオチュインユェン）」。高級すぎるマンションとしても有名で、噂には聞いていましたがやはり圧倒される迫力です。完成は2018年で、1フロア2戸のみ。1戸の販売価格は60億を超え、車のままエレベーターで自宅の玄関前まで乗りつけることができるそう。設計はベルギーの建築家ヴィンセント・カレボー氏、施工は台湾の熊谷組。環境負荷低減のための設備も随所に施され、バルコニーに植えられた23000本を超える植栽は、年間約130tのCO_2を吸収するそう。ついさっきまでローカル市場にいたのに、少し移動しただけでまるで雰囲気が変わるのも台湾らしさ。変わりゆく街は気になるものが多すぎて、つい足を止めてしまうことばかりです。

1月13日

トマトは野菜かフルーツか

「番茄(ファンチエ)」とはトマトのこと。ミニトマトを「小番茄(シャオファンチエ)」、普通サイズのトマトを「大番茄(ダーファンチエ)」と呼び分けています。ミニトマトは果物扱いなので、市場ではフルーツ店に並んでいることが多く、トマトは八百屋さん。カットフルーツの盛り合わせを買うと、ミニトマトが入っていることが多く不思議に思っていましたが、それを知り納得しました。台湾のミニトマトは種類も豊富で、日本のアイコのような細長いタイプが多く、甘みも強め。逆に大番茄は特に真っ赤な品種のものは味がはっきりしないものが多く、トマトの卵炒めやスープなど火を通した料理の方が美味しさを発揮します。一見熟れていないのではと思うような緑がかった「黑柿番茄(ヘイシーファンチエ)」もよく見かけますが、意外とこちらの方がしっかりとした味わい。生で食べたい時にはそちらを選び、とろみ醤油にすりおろした生姜をつけて食べる台湾南部の定番スタイルでいただきます。

14 | 一月

1月14日

台湾のレシートくじ

台湾のレシートは従来通り紙でも発行できますが、スマホアプリに登録も可能。変わらないのはどちらもレシートが宝くじになっていることです。どのレシートにも必ずアルファベット2桁と数字8桁が記載されていて、2カ月に1回抽選が行われます。賞金は特別賞が1000万元、特賞200万元、1等20万元、2等4万元、3等1万元、4等4000元、5等1000元、6等200元。これが意外と当たるので侮れないのです。特別賞と特賞は財政部のHPに購入場所と購入金額が掲載されているのですが、32元のコンビニでの買い物が1000万元に当選していることも。換金は5等・6等はコンビニでできるほか、アプリであればどの金額でも紐づけた口座に入金可能。不要な人は紙レシートなら街中に専用ボックスがあるので、当選前に寄付をすることができます。もともとは脱税防止と税収アップを目的としてはじまった制度ですが、消費者にとっては夢のある制度なのです。

1月15日

愛用している台湾コスメ

化粧品の愛用品は日本のものが多いのですが、台湾コスメについても知りたくて、評判のいいものを中心に試しています。台湾はシートマスクが豊富なのですが、買い続けているのは「我的美麗日記（ウォダメイリーリージー）」シリーズ。よく買1送1→54/365をやっていて、お得に買える上に種類も豊富。黒真珠やツバメの巣など、配合している成分に台湾らしさを感じられるところも気に入っています。ドクターズコスメの「DR.WU（ドクターウー）」も台湾コスメを牽引するブランド。マンデル酸（杏仁酸）ピーリング美容液がヒット商品ですが、オイルセラムも万能すぎて手放せない存在になっています。オイルのべたつき感が苦手でしたが、これは使用感が驚くほどにさらさら。さらに精油を配合しているので香りにも癒されます。旅の時は化粧水とこのオイルを持参し、ヘアオイル代わりにすることも。荷物の軽量化にも役立っています。

1月16日

台湾産スペシャリティコーヒー

台湾といえばお茶のイメージかもしれませんが、日本統治時代にはコーヒーの栽培にも力を入れていて、当時の天皇陛下に献上されるほどの極上品でした。その後、戦争の影響などでコーヒー文化や栽培は衰退していきましたが、中部で発生した1999年の大地震をきっかけに、地域復興のため、特産品としてのコーヒー栽培に力を入れはじめ、近年その高品質のコーヒーは世界から注目を集めています。中部の南投（ナントウ）、雲林（ユンリン）、嘉義（ジャイー）をはじめ、南部の屏東（ピンドン）、東部の台東（タイドン）、花蓮（ホアリェン）などが主な産地。ベリーやフローラルのような華やかな香りのものもあれば、チョコレートやナッツのような香ばしい風味を感じるものもあるなど表情豊か。私はコーヒーの仕事をしていたこともあるので、ある程度の知識はある方だと思うのですが、台湾コーヒーの個性豊かな味わいは、知るほどに面白さを感じます。決して安いものではありませんが、確実にコーヒーファンを魅了する味わいです。

1月17日

台湾産コーヒーが飲めるお店

いまではしっかりとコーヒー文化も根づいている台湾では、街中にカフェが溢れています。ただ、台湾産のコーヒーに関しては、まだまだ希少で高価なこともあり、どこでも飲めるわけでも買えるわけでもないため、少しだけ情報が必要です。天母（テェンムー）と芝山（チーシャン）にお店を構える「Goodman Roaster」は阿里山コーヒーを提供するお店。日本人オーナーが阿里山コーヒーに惚れ込み、台湾に移住しその素晴らしさを広めてきました。ブランドが生まれて10年以上が経ち、多くの人が台湾産コーヒーの魅力に気づくきっかけとなったお店です。様々な産地のコーヒーを味わいたければ、大稲埕エリアにある「森高砂咖啡（センガオシャカーフェイ）」へ。豆の種類も多く、こちらもまさに台湾コーヒーの素晴らしさを広めるため2016年に誕生したお店です。古い建物をリノベした店内も素敵で、ホットを注文すると、試験管入りのアイスコーヒーもサービスで提供され、温度による味わいの違いが楽しめます。

1月18日

中医（チョンイー）で体質改善

台湾の医療には中国医学の「中医」と西洋医学で治療を行う「西医（シーイー）」、この2つが存在します。日本には中医の医師免許がないため診療所などはありませんが、中医師が存在する台湾では、街を歩いていると中医の診療所が多いことに気がつきます。しかもどこも夜9時頃まで診療を行っているので、仕事帰りの人たちで待合室が賑わっているのもよく目にする光景です。中医は、病気そのものというより身体の根本的な原因を探り、陰と陽のバランスを取りながら、漢方を使用した自然療法で本来の状態へ戻していく治療です。先生は舌と脈から状態を診るのですが、はじめて受診した時はまるで占いをしてもらっているような気分になりました。鍼や整体との組み合わせや、ダイエットなど美容目的の治療などもあり、保険も適用されるので、みな気軽に相談しに行っています。

1月19日

漢方を処方してもらう

漢方による体質改善や、さらには自分の症状に合わせてその場で生薬を調合してくれる漢方薬局にも以前から非常に興味がありました。ただ、病院や美容室は、ある程度言葉ができないと自分の意思が伝えられないので、なかなか難しいところがあります。そうなると、必然的に日本語が通じるところというような選択肢になるのですが、迪化街に近い漢方薬局「生元藥行（シェンユエンヤオハン）」では日本語ができる方が常駐し、無料で通訳してくれるので度々お世話になっています。また、保険のない観光客でも診察してくれるので、漢方に興味がある方にはおすすめしているのですが、地元の方の利用も多く、生薬の質に関するいい評判もよく耳にするので、そのような部分でも信頼をおいています。漢方コスメや薬膳茶、スープキットなども販売しているので、行く度に色々購入しては試しています。

20 | 一月

295 / 365

1月20日

まだまだ気が抜けない大寒

1月20日前後は二十四節気最後の節気「大寒」です。この時期の台湾は突然寒波が到来することも。まだまだ気は抜けず、温かい食べ物や飲み物が手放せない日々は続きます。大寒の寒は中医では陰邪と言われ、対策は身体を内側からもしっかり温めること。食では土魠（トゥトゥオ）(鰆) や旗魚（チーユー）（カジキ）が旬なので、養生食としてもこれらはおすすめの食材。どちらも焼いたり揚げたりと様々な調理法がありますが、迪化街の永樂市場の向かいには、それぞれをスープにした老舗店が2軒並んでいます。土魠は衣をつけてフライにしてあり、少し甘めのとろみスープでいただくタイプ、旗魚はビーフンスープになっていて、旗魚の出汁が利いたあっさり風味。ともに1年中賑わう人気店ですが、この時期はよりスープの温かさが染み渡ります。

1月21日

台湾らしさのあるテキスタイル

　台湾を表現したテキスタイルに惹かれます。迪化街にお店を構える印花樂（インホァラー）は優しい色使いと可愛らしさが人気のテキスタイルブランド。企業とのコラボレーションなども多く、商品アイテムは使い勝手もよく実用的。私はパソコンバッグをずっと愛用しています。デザインには台湾原生種の鳥「八哥（バーグー）」や「鐵窗花（ティエチュアンホァ）」→91/365 など、さりげなく台湾らしさをモチーフに取り入れているところが粋。可愛いだけではない芯の強さにも惹かれます。台南が拠点の錦源興（ジンユエンシン）は1923年創立の布問屋。現在は4代目がブランディングを行い、オリジナルのテキスタイルをどんどん生み出しています。からすみや藍白拖（ランバイトゥォ）と呼ばれ、どこの家庭にも1足はあるサンダル、麺線を乾燥させている様子など、ユニークでポップなデザインは見ているだけで楽しい気分に。台湾中で見かけることが増えている話題のブランドです。

1月22日

店ごとの個性が光る魯肉飯（ルーローファン）

台湾の人気B級グルメといえば魯肉飯。細かくした豚肉を醤油ベースのタレで煮込み、温かいごはんにかけていただくメニューです。読み方が同じ、滷肉飯（ルーローファン）も同じもの。南部では肉燥飯（ロウザオファン）とも呼ばれます。お店によって味つけや使っているお肉の部位やカットの仕方も様々なので、実はとても個性が感じられるメニュー。小さめのお茶碗サイズで提供するところが多いので、食べ歩きにもぴったりです。自宅でも作ることがありますが、台湾風に仕上げるポイントは、八角や五香粉などのスパイスはお好みですが、絶対に必要なのが揚げエシャロットの油蔥酥（ヨウツォンスー）。スーパーで手軽に入手できる食材で、これを入れることで独特の香ばしさとコクが生まれます。こっくりとした色合いに仕上げたければ、お砂糖を焦がしてカラメルにするのもポイント。氷砂糖を使う方も多いです。

1月23日

文湖線の車窓から眺める台北

台北 MRT 文湖線は一部を除き、ほぼ高架の上を走行するので、車窓からは台北の景色を楽しむことができます。路線カラーは茶色で、「動物園駅」と「南港展覧館」とを結ぶ全24駅。台北松山空港直結の松山機場駅もこの文湖線です。車体はほかの MRT とは異なり、4両編成とコンパクト。走行する姿はどこかおもちゃの電車のような可愛らしさがあります。無人運転のため運転席はなく、先頭車両は走行中の景色を堪能できる特等席。再開発が行われ、高層ビルが立ち並ぶ始発の南港展覧館駅の都会的な景色からスタートし、松山空港駅付近では滑走路、台北中心部の大安エリアでは立ち並ぶ百貨店やオフィスビル、そこを過ぎ動物園駅に近づいてくると、まるで森の中にいるかのような緑あふれる景色へ。文湖線に乗車する時、いつもどこか楽しみなのはこんな景色が眺められるからなのです。

1月24日

いつでも賑わっている吃到飽（チーダオバオ）

「吃到飽」とは直訳すると「満腹まで食べる」という意味で、食べ放題のこと。台湾でも食べ放題は人気があります。チェーン展開する火鍋店や焼肉店をはじめ、高級食材が楽しめるレストランビュッフェやホテルビュッフェなども、決して安くはありませんが、いつ行っても大賑わい。特に火鍋の吃到飽は店舗数も多く、どこでも見かけますが、冬は混むので予約は必須。お店によっては午前4時など、深夜まで営業しています。さすがにそんな遅くに行ったことはありませんが、真夜中の火鍋も楽しそう。デザートのアイスがハーゲンダッツのところも多く、しかも種類も豊富。シーズン中は愛文マンゴーがまるごと置いてあるお店などもあり、これにはいつも興奮してしまいます。台湾人はよくコスパの高さを評価するのですが、人気店の吃到飽はまさにそれを実感できる場所です。

1月25日

豆乳屋さんは夜食屋さん

朝食店のイメージがある豆乳店ですが、実は多くのお店が夜から昼までの営業時間。かつて近所にあったお店は夜6時開店で朝11時が閉店時間。夜食のことを「宵夜（シャオイエ）」といい、そういうお店の看板にはよく「早點（ザオデェン）・宵夜」（朝食・夜食）と書いてあります。深夜でも爛々と灯りがともり、饅頭や小籠包を蒸す蒸篭からはもくもくと湯気。コンビニとはまた違う、安心感がそこにはあります。私は夜に利用することも多いのですが、忙しくて夕食を食べそびれた時などは、軽く豆乳スープの「鹹豆漿（シエンドウジャン）」を注文したり、小腹が空いた時には冷凍ものだけれど蒸したてを提供してくれる小籠包などを食べてみたり。手軽に温かいものが食べられます。そういえば、深夜にテイクアウトのためスクーターでやって来る人のほとんどが、ヘルメットを被ったまま店内へ入ってきます。はじめはギョッとしましたが、夜食文化含め、それもまた台湾の愛おしい日常風景です。

1月26日

一大イベントの尾牙（ウェイヤー）

旧暦12月16日は毎月行う土地公への作牙（ズオヤー）→124/365年内最後の日。「尾牙」と呼ばれ、お供え物をしてしっかりと拜拜を行います。今年1年の感謝をするとともに、来年の商売繁盛を願い、お金で膨らんだ財布のような形をした饅頭サンドの刈包（グアバオ）や、古代のお金を包んだところに似ているということから、豊富な具材を薄い小麦の皮で巻いた潤餅（ルンピン）を食べるのが伝統的な風習です。また、会社が従業員に対し、1年の労をねぎらう忘年会のことも「尾牙（ウェイヤー）」と呼び、企業においては非常に重要なイベント。家族やパートナーなども参加でき、大企業などではホテルやレストランを貸し切り、芸能人を呼ぶなど、かなり本格的なパーティーが開催されます。社長からはお年玉の紅包（ホンバオ）が配られ、抽選会の景品には高額現金なども。普段はすっぴんが多い台湾人女性もこの日はメイクもばっちりで華やかに。それくらい気合の入った行事なのです。

1月27日

冬のフルーツ蓮霧(リェンウー)と棗子(ザオズ)

台湾の冬のフルーツといえば、イチゴ→280/365のほか、蓮霧や棗子も日常でよく食べられます。蓮霧はレンブ、ワックスアップルのこと。棗子はインドナツメ、台湾ナツメという名前で日本にも輸出されているので、シーズンになると日本でも見かける機会が増えてきました。どちらも派手さはなく、味もどこかぼんやり。イチゴやマンゴーのようにドリンクやデザートに使われることもなく、洗ってそのまま食べるのが定番の食べ方です。レンブはしゃきしゃきとして水分たっぷり。食感はどこか白菜の芯のようで、ほんのり優しい甘さがあります。棗子は小さな青リンゴのような可愛らしい見た目。乾燥ナツメとは別物です。どこか梨のような味わいで、いつもは丸かじりして食べますが、小さくカットし、からすみと一緒に食べるのもよく見る食べ方。こうすると、お酒のおつまみとしてもよく合うのです。

1月28日

台湾のジンクス

台湾人の友人はホテルの部屋に入る時、必ずノックしてから部屋に入るそう。理由は部屋に先客がいる場合、知らせて出ていってもらうためらしいのですが、先客というのは目には見えない好兄弟（ハオションディ）→138/365のこと。ほかの台湾人に聞いても、これは知っている人もやっている人も多いジンクスです。鬼月（グイユエ）→138/365などが文化として定着している台湾なので、見えない何かに対する儀式的なものが日常に根付いているのも、らしさのある習慣だなと感じます。「落ちている赤い封筒（紅包（ホンバオ））を拾ってはいけない」という言い伝えもあり、これは亡くなった未婚女性の家族がご祝儀袋でもあるこの封筒を落としておき、拾った男性と結婚させるというもの。現在はほぼ都市伝説のようになっていますが、台湾人にとっては赤い封筒は拾ってはいけないものとして広く知られているので、もし知らずに拾おうとしたならば、きっと全力で止められるはずです。

1月29日

タイヤル族が暮らす街・烏來（ウーライ）

台湾には原住民族が人口の約2%暮らしていて、山間部や東部、離島などが主な住居地域です。台湾における原住民族とは台湾へ漢人が渡来してくる以前から住んでいる民族の総称で、現在16の民族が政府から認定されています。世界的に活躍するスポーツ選手やアーティストも多く、彼らの才能を通して、台湾原住民族を知るきっかけになったという人も少なくありません。観光地になっているところも多く、台北から車で約1時間と気軽に訪れることができる「烏來」もタイヤル族が暮らす地域。瀑布などもある自然に囲まれたのどかな場所で温泉地としても有名です。そもそも烏來というのもタイヤルの言葉で「温泉」のこと。周辺にはリゾート温泉や日帰り入浴などの施設も充実しています。山の恵みと馬告などのスパイスを使用したタイヤル料理が味わえる老街や無料の民族博物館などもあるので、楽しみながら学びを深めることもできます。

1月30日

台湾はパンも美味しい

台湾で意外だったのはパン屋さんの充実ぶり。昔ながらの調理パンが主流のお店からクロワッサンが美味しいヨーロッパ調のお洒落なお店まで系統も様々。有名なパン職人は屏東出身の呉寶春(ウーバオチュン)氏。2010年にパンの世界大会クープ・デュ・モンド・ド・ラ・ブーランジュリー(CDM) のマスター大会においてライチとバラのパン「荔枝玫瑰 麵包(リージーメイグイミェンバオ)」で優勝、呉寶春氏が率いる台湾チームもCDMで2008年と2016年に準優勝に輝くなど輝かしい成績を残しました。優勝後は高雄にベーカリー「呉寶春麥方店(ウーバオチュンマイファンディェン)」を開店。現在は台北101近くにも旗艦店があるなど、台湾で知らない人はいない有名店です。ちなみに私はMRTの駅構内でもたまに見かける「樂田麵包屋(ラクデンミェンバオウー)」というお店がお気に入り。値段も手頃で、雑穀入りなどちょっとだけ意識高めのパンのほか、焼き菓子なども美味しくて、つい色々と買いこんでしまいます。

1月31日

ほかほかの蒸したて包子（バオズ）

パンも美味しい台湾→305/365ですが、同じ粉ものでいえば、蒸したての包子もたまりません。店頭でもくもくと湯気が上がっている光景を見るともうアウト。気がつけば列に並んでいることもしばしばです。お肉や餡子など具が入っているものが「包子」、具なしの生地だけを成形したものが「饅頭（マントウ）」。饅頭は生地の密度がみっちりしていて、そのままだとちょっと喉が詰まりそうですが、朝食店では饅頭に葱入りの卵焼きを挟んだものが定番メニュー。豆乳と一緒に朝ごはんに食べると腹持ちもばっちりです。これまでで感動したのは、台北の光復（グァンフー）市場にある「極品光復素食包子（ジーピングァンフースーシーバオズ）」のベジ包子。ほかほかの皮の中には細かく刻んだキャベツやからし菜がたっぷり。食感もシャキシャキで、シンプルなのにしっかりとした旨味を感じます。握りこぶしよりも大きいビッグサイズなのに、あまりの美味しさにいつもぺろりと完食してしまいます。

1 ｜二月

2月1日

台北国際ブックフェア

春節の頃には台湾各地で様々なイベントが続きますが、カルチャーイベントの台北ブックフェア「台北國際書展（TiBE）」も毎年2月頃に開催される大きなイベント。2023年は33カ国、470社の出版社が参加し、来場者数は6日間の開催で50万人以上にも上りました。デジタル化が進む台湾においても紙の書籍の根強い人気を感じさせる熱気があります。会場は信義にある世界貿易センター。TiBEは出版社や業界関係者だけではなく、一般市民も100元の入場料で参加することができ、18歳以下の学生は無料。書籍の販売のほか、台湾の作家はもちろん、世界各国の著名な作家によるトークショーやサイン会なども行われているほか、毎年テーマ国が掲げられ、他の国の作家や書籍に触れることができるなど、多くの読書ファンが心待ちにしています。また、ブースの表彰もあるので、デザインにこだわった各社のブースも見どころのひとつです。

2月2日

年末の活気溢れる年貨大街（ニェンフォダージエ）

年末大売り出しの「年貨大街」は台湾各地で行われますが、台北の迪化街が連日歩行者天国になる「台北年貨大街」は規模も大きく、かなりの賑わいを見せます。期間は春節の約2週間前から大晦日の前日まで。年末のアメ横のような雰囲気で、春節へ向けての気持ちの高まりが一番感じられる場所。車道には屋台もずらりと並び、いつもの迪化街とはがらりと雰囲気が変わります。正月飾りや手書きの春聯（チュンリェン）→309/365、お年玉袋の紅包袋（ホンバオダイ）を購入したり、キャンディーやナッツなどのお菓子や珍味はどかんと山積みになっているので、量り売りで購入します。そしてなんといっても楽しいのが試食。歩いているとあちらこちらから、どんどん試食を配る手が。土日は身動きできないほど混雑する場合もあるため、できれば平日がおすすめ。スリなどにも気をつけながら、台湾の年末気分を味わいましょう。

2月3日

春節に向けて春聯（チュンリェン）を用意する

春節が近づいてくると、街は中華圏で縁起のいい色とされる赤色の割合がどんどん増えていきます。中でも特徴的なのが、春節前に準備し玄関などに飾る「春聯」。真っ赤な紙に縁起のいい文字を書いたもので、福を呼び込む縁起物。すでに絵や文字がプリントされたものも販売していますが、年貨大街では好きな文字を書いてもらうこともできます。大晦日の午前6時から12時の間に、門や玄関のドアの周りに「門聯（メンリェン）」とも呼ばれる対句を右→左→上の順に貼り付けるのが習わしです。「福（フー）」や「春（チュン）」と書かれた正方形のものは「斗方（ドウファン）」。よく逆さまに貼られていますが、倒すの「倒（ダオ）」と到着の「到（ダオ）」が同じ発音なので、「福がやってきますように」との願いを込め逆さにするのです。でも実は、倒した「福」（倒さないままの福はOK）と「春」の1文字だけを入口の扉に貼り付けるのは良くない意味があるためNG。「春」は窓や棚などに貼るといいそうです。

2月4日

麻油雞（マーヨージー）であたたまる

2月4日頃は二十四節気の立春。暦の上では春のはじまりとされますが、台湾でもまだまだ2月は寒い時期。そんな時飲みたくなるのは身体がぽかぽかしてくるスープ。中でも、「麻油雞」は鶏肉とたっぷりの生姜、ゴマ油（麻油）、米酒で作る台湾ではポピュラーな薬膳スープ。滋養があり、産後に食べるスープとしても定番です。屋台や夜市の食堂など、外でも気軽に食べることができますが、家庭でも簡単に作ることができるので、私も友人が作った麻油雞をごちそうになったことがあります。それがなんとも美味しくて、それから自分でも作るようになった、寒くなると食べたくなる料理のひとつです。お店では鶏肉を豚のレバーや腎臓などのモツ系に変えることもでき、麻油で味つけをした素麺のような「麵線（ミェンシェン）」を合わせていただきます。

5 | 二月

311 / 365

2月5日

台湾グルメに欠かせない米酒（ミージョウ）

麻油雞（マーヨージー）→310/365 の味の決め手は米酒。レシピは人それぞれですが、水を使わず米酒のみで作る家庭もあり、お酒の利いた独特の風味がクセになります。米酒は、名前の通りお米で作った蒸留酒でアルコール度数は19.5%。台湾では料理に使うお酒といえば紹興酒の時もありますが、とにかくこの米酒。コンビニでも小瓶が売られています。麻油雞や、同じく冬によく食べる生姜とあひるの鍋、薑母鴨（ジャンムーヤー）や羊鍋の羊肉爐（ヤンロールー）→236/365 なども米酒が欠かせない料理。たっぷり使用することで血行をよくすると言われています。米酒は炒め物、煮物、蒸し物、とにかくなんにでも使うので、日本の料理酒のように、台湾の家庭には常備してある１本です。台湾グルメを日本で作りたい時も、米酒を使用することで味わいがぐっと本格的になりますよ。

2月6日

台湾のいいものを探すなら神農市場（シェンノンシーチャン）へ

お土産を買う時や、美味しい食材や調味料を買いたい時に必ず行くのが「神農市場」。本店は2010年に台湾花博が開催された花博公園の中にあり、MRT中山駅近くの誠品生活南西店にはカフェ併設の「神農生活」があります。2020年には日本の大阪へ進出。「Local 地域性」・「Essential 必要性」・「Seasonal 季節性」・「Suitable 適切性」をコンセプトにメイドイン台湾の食材や雑貨を集めたライフスタイルショップです。雰囲気はDEAN & DELUCAや無印良品に近く、商品セレクトやディスプレイにもこだわりとセンスを感じます。PB商品にも力を入れていて、特にからすみを使ったオリジナルのソース「烏魚子醤（ウーユーズジャン）」はもう何本もリピート。雑貨も可愛いものが多く、職人さんの手による竹のカゴやお掃除用ブラシなどはシンプルな美しさにほれぼれ。そばに置いておきたい逸品が揃っています。

2月7日

年末の挨拶と福袋

春節の挨拶は「新年快樂（シンニェンクァイラ）」。新年の挨拶として日本の「あけましておめでとう」と同じような使い方かと思い込んでいましたが、まだ年が明ける前、買い物や食事をしにお店へ行くと、帰り際に「新年快樂！」と店員さんに声をかけられることが多く、頭の中は「？」でいっぱい。どうやら年末に使う「新年快樂」には「よいお年を」の意味もあるようです。確かに週末も「週末快樂（チョウモウクァィラ）」（よい週末を）とよく声を掛け合うので、それと同じ感じなのかな。年が明ける前からといえば、日本ほどの熱気はありませんが、台湾でも福袋を販売していて、春節に販売するところもあれば、新暦１月１日に販売しているところもあり、販売日は店によりけり。以前、コンビニで購入した福袋はそれこそ年が明ける少し前から販売していて、フライングしちゃうところにもびっくりでしたが、そういうゆるさや自由な感じにいつだってぐっときてしまうのです。

2月8日

縁起のいい食べ物・年菜（ニェンツァイ）

台湾では新年を迎えるにあたり、「年菜」と呼ばれる縁起のいい食べ物を用意し、大晦日（旧暦12月30日）の夜に家族が集まりテーブルを囲みます。この大晦日の一家団欒のことを「圍爐（ウェイルー）」といい、家族を大切にする台湾人にとっては大切な行事のひとつ。用意する料理はもちろん縁起のいい料理が中心で、「年年有餘（ニェンニェンヨウユー）」（一年中お金や食べ物が余るほどある）という言葉の「餘（ユー）」と「魚（ユー）」が同じ発音ということから魚を使った料理や、同じように蘿蔔糕（ルォボーガオ）（大根餅）や發糕（ファーガオ）（蒸しパン）、丸鶏、りんご、みかん、パイナップルなども縁起のいい単語と同じ発音を持つ食材なので必ず用意されます。そのほかにも昔のお金に形が似ていることから金運アップとされる水餃子、長寿を願う長年菜（からし菜）、円満を意味する丸い鍋の火鍋なども年菜の定番料理です。

9 | 二月

2月9日

大晦日の除夕（チュウシー）

旧暦12月30日は「除夕」と言われる大晦日。前日の「小除夕（シャオチュウシー）」から仕事始めの日とされる初五（チュウウー）（旧暦1月5日）までが正月休みです。除夕は夜に掃除やごみ捨て、そして洗濯などもタブーとされているので、午前のうちに大掃除などの家事を済ませ、春聯（チュンリェン）→309/365 の貼り換えを行います。その後は年菜（ニェンツァイ）→314/365 の準備です。近頃は年菜もオーダーしたり、外に食べに行ったりという家庭も増えていますが、とにかく家族が集まる大切な日。いつもよりも手の込んだ料理をどんどん準備していきます。そして夜は一家団欒の圍爐（ウェイルー）→314/365。神様や祖先に1年の感謝を込めてお祈りの拜拜（バイバイ）を行った後、美味しい食事を楽しみ、お年玉の紅包（ホンバオ）を配ります。テレビでは台湾版紅白「超級巨星紅白藝能大賞（チャオジージュシンホンバイイーノンダーシャン）」などが放送され、人気アーティストたちが大晦日の夜を盛り上げます。

10 | 二月

2月10日

春節のはじまり

深夜0時、初一（チュウイー）と言われる旧暦1月1日を迎えた瞬間からあちこちで爆竹の音が鳴り響き、春節が訪れたことを実感します。新しい干支も新暦ではなく、この日がはじまり。風習では縁起のいい赤い下着や洋服を身につけます。

・**新年快樂**（シンニェンクァイラ）　新年おめでとう
・**大吉大利**（ダージーダーリー）　大きないいことがありますように
・**恭喜發財**（ゴンシーファーツァイ）　お金持ちになりますように
・**紅包拿來**（ホンバオナーライ）　お年玉をください

などが春節の挨拶。この言葉がLINEなどでも飛び交います。お金にまつわる直接的な挨拶があるのが中華圏らしいですよね。除夕→315/365の夜から初三（旧暦1月3日）あたりまでは、営業しているお店はコンビニと一部スーパーのみ。普段は賑やかな台北も、お寺やその周辺以外は人けがなくなり静かな雰囲気に包まれます。

11 | 二月

2月11日

春節のタブーと初二（チュウアール）

現在はそこまで厳密ではありませんが、春節には縁起を担ぐためにタブーとされている言い伝えが色々とあります。

- **初一**：洗濯をしない、お風呂に入らない、掃除とゴミ捨てをしない、物を割らない、料理をしない、お粥を食べない、名前を呼んで起こしてはいけない、刃物や針を使用しない、嫁は実家に帰らない
- **初二**：洗濯をしない、掃除とゴミ捨てをしない、昼寝をしない
- **初三**：喧嘩しやすいので外出しない、早寝早起きをする

などなど。どれも理由があってのことですが、初一と初二に洗濯がNGなのは、この日は水の神様が誕生日のため。水を沢山使うのはよくないことなのだそう。また、初二（旧暦1月2日）は嫁いだ女性が手土産を持って里帰りする「回娘家（フイニャンジャ）」の日。1日は嫁ぎ先で過ごすというしきたりがあります。

2月12日

運試しにスクラッチ

春節の特に初三（旧暦1月3日）まではどのお店も定休日。街はひっそりとしていますが、散歩がてら夜にふらふらと歩いていたら、灯りとともに、なにやら賑わっているお店が。これは「公益彩券」または「台灣彩券」という名の宝くじのお店で、黄色い看板が目印。台湾ではお正月に紅包をもらうと、運試しにスクラッチ「刮刮樂」をする人が非常に多いのです。刮刮樂は通年販売していますが、春節に販売するものは種類も豊富で販売金額は100元～2000元。10種類以上が並びます。当選金額は販売金額によって変わり、2000元のものは最高当選金額が2000万元！　2000元は日本円で9000円くらいなので購入するにも勇気がいりますが、なにかしら当選する確率は約70%と高め。外国人でもあまりの高額でなければその場で換金してくれます。

13 | 二月

319 / 365

2月13日

環境問題で寺廟(じびょう)にも変化が

新年は沢山の人がお寺や廟へ参拝します。台湾のお参りといえば長い線香は必需品。胸や額の前に掲げ、何度か頭を下げながら神様へお願い事を唱えます。しかし、近年の台湾は環境問題が深刻化。それにより参拝者への線香の配布を中止しているところも増えてきました。長い伝統文化でもあるので、政府が線香の使用を控えるよう呼びかけはじめた頃には反対派によるデモなども行われましたが、商売の神様が祀られていることでも有名な台北の行天宮 →151/365 と北投分宮の忠義廟、三峡分宮の行修宮では2014年より線香、香炉、そしてお供え物のテーブルも撤去。連日多くの参拝客が訪れる龍山寺 →277/365 も2020年3月から線香配布を終了しました。伝統としてやってきたことをやめるには大きな決断が必要ですが、それだけ台湾の大気汚染も深刻だということ。神様も納得してくれていることを願います。

2月14日

初五（チュウウー）は仕事はじめの開工日（カイゴンリー）

　初五（旧暦1月5日）もまた、朝から爆竹の音が街中に鳴り響く日。この日は「開工日」と言われる仕事はじめの日。企業や政府機関は連休が続きますが、お店などはこの日からほぼ営業開始。店頭にお供え物のテーブルを出し、従業員一同で道教の最高神「玉皇大帝（ユーホァンダーディ）」、財運の神様「五路財神（ウールーツァイシェン）」、土地の神様「土地公（トゥディゴン）」をお迎えする開工拜拜（カイゴンバイバイ）を行います。そして、最後に1年の商売繁盛を願い、爆竹を盛大に鳴らすのです。お供え物は通常の拜拜と同じく→124/365、三牲（サンシン）と呼ばれる鶏・魚・豚肉にパイナップルなどの縁起のいい果物、そして紙のお金などですが、財運の神様は甘いものがお好きとのことで、縁起菓子の發糕（ファーガオ）や湯圓（タンユエン）、キャンディーなどもお供えします。

2月15日

情人節(チンレンジエ)と台湾のチョコレート

1日前ですが、新暦2月14日はバレンタインデーの「情人節」。旧暦7月7日にもチャイニーズバレンタイン「七夕情人節(チーシーチンレンジエ)」→144/365があり、その日にもお祝いするので台湾のバレンタインは年に2回！ともに男性から女性にギフトを贈ります。贈り物は花束や日本同様チョコレートも人気です。実は台湾では高品質なカカオも生産されていて産地は南部の屏東(ピンドン)。特にカカオ豆からチョコレートの生産までを一貫して行うTree to Barは、現在政府も力を注いでいる取り組みのひとつ。屏東のTree to Barブランドの「福湾巧克力(フーワンチャオクーリー)(FU WAN CHOCOLATE)」は台北101にフラッグシップ店を構えています。また、チョコレートのレベルもどんどん上がり、世界大会で賞を受賞するショコラティエも増えてきていて、台湾茶や台湾フルーツを組み合わせたチョコレートはお土産やギフトにもぴったり。台湾のチョコレート専門店を巡ってみるのも楽しいですよ。

2月16日

冬の夜市に並ぶペットの洋服

夜市では食べ物だけではなく、洋服などの衣料品も販売しています。ワンちゃん用の洋服屋台などもあり、フリフリのものから被り物までデザインも豊富でユニーク。値段も日本よりもリーズナブルに購入できます。私も実家に犬がいるので、お土産がてら何度か買って帰りましたが、とても可愛く、家族も喜ぶお土産でした。大型犬なので、どうしても種類は限られてしまうのですが、小型犬ならかなりの品揃え。きっと爆買いしていたことでしょう。ただ、ペット服屋台は夏にはお休みしていることが多く、見かけることが多いのは冬。確かに夏場はワンちゃんたちもサマーカットにしているくらいなので、洋服は暑すぎるかも。チャイナ服仕立てのデザインなどもあり、春節の時にはこれを着てお出かけしているワンちゃんも。愛犬家におすすめしたい、ややマニアックな台湾土産です。

17 | 二月

2月17日

美味しいからすみを手に入れる

高級珍味のからすみ「烏魚子（ウーユーズ）」は台湾の特産品。縁起のいい食べ物として、お正月や結婚式などのお祝いの席にも欠かせない食材です。日本よりも手頃な価格で購入できることもあり、昔からお土産品としても人気があります。からすみはボラの卵巣の塩漬け。高雄では加工しているところが多く、街歩きをしていると、店頭でからすみを干している光景に出会えたり、大手工場では工場見学やからすみ作り体験を行っているところも。夜市でもよくひと口サイズのからすみを販売しています。私がいつも購入するのは、古くから台湾在住日本人御用達の迪化街にある「永久號（ヨンジョウハオ）」または西門近くにある「伍宗行（ウーゾンハン）」。どちらも品質の良さに定評があります。お酒を振ってさっと炙って薄皮をはがしたら、薄くスライスして、同じく薄くスライスした大根や葱、ニンニクを合わせて食べるのが台湾流。チーズのような濃厚な風味がやみつきになります。

2月18日

亀の形の伝統菓子

初九（チュウジゥ）（旧暦1月9日）は道教の最高神「玉皇大帝（ユーホァンダーディ）」の誕生日とされる「天公生（テェンゴンシェン）」。この日、玉皇大帝が祀られている廟（びょう）やお宮には拜拜をする参拝客が多く訪れます。拜拜は子の刻に行い、前日の午後11時から午前1時まで、遅くとも午前7時までには終わらせるのがよいとされているため、特に台南の2大天公廟、台湾首廟天壇（タイワンショウミャオテェンダン）と開基玉皇宮（カイジーユーホァンゴン）は深夜にもかかわらず、参拝するまで2〜3時間待ちの行列が発生します。高く積み上げられたお供えの金紙は山のようになり、廟の中は身動きが取れないほど。もちろんここでも爆竹は鳴り響いているので相当賑やかな夜となります。台湾の老舗のお菓子屋さんでは必ずといっていいほど亀の形をした赤いお餅「紅龜粿（台湾語でアンクークエ）」を見かけますが、台湾でも亀は長寿を意味する縁起のいい生き物。天公生にはこの紅龜粿や同じく餅菓子の「年糕（ニェンガオ）」、桃の形のお饅頭「壽桃（ショウタオ）」などをお供えします。

19 | 二月

2月19日

ランタンフェスティバル

新暦2月19日前後は二十四節気の雨水。段々と暖かくなる頃といわれますが、雨水の名の通り、台湾では雨の日が多く、特に北部ではすかっとしない天気がだらだらと続きます。やはり湿度も高いので、実際の気温よりも体感温度は低め。2月も油断せず寒さ対策をしていた方が安心です。それでも、春節が2月中旬にある年はまだまだお正月ムード。旧暦1月15日の元宵節（ユェンシャオジエ）には、光の祭典「台湾燈會（タイワンダンフイ）」（ランタンフェスティバル）が開催され、街はランタンをはじめとした灯りに彩られます。期間は2週間ほどで、台湾各地で行われますが、メイン会場が毎年変わり、そこでは大規模なイベントを開催。迫力満点の巨大ランタンがずらりと並び、幻想的かつ、音と光のショーが楽しめるなど見応えも抜群。夜市のように屋台も並ぶので、かなりの人出となり、まさにお祭りのような夜が連日繰り広げられます。

2月20日

お釈迦様の頭のようなフルーツ

この時期、マンゴーなど夏の台湾フルーツは全く見かけなくなりますが、レンブやインドナツメ→302/365のほか、バンレイシやシュガーアップルとも呼ばれる釈迦頭など、日本ではあまりなじみがないけれど、好きな人にはたまらないフルーツたちが並びます。釈迦頭は台湾では釋迦（シャージャー）といわれ、名前の通り、お釈迦様の頭のような形をしています。似ているけれど、少し先が尖っているのが、アテモヤ。台湾では鳳梨釋迦（フォンリーシャージャー）という名前で、鳳梨（フォンリー）とはパイナップルのこと。どちらも濃厚でクリーミーな甘さが特徴ですが、鳳梨釋迦の方がやや歯ごたえがあり爽やかな酸味も感じられます。出荷時期は釋迦が7～2月頃、鳳梨釋迦は12月～4月頃。案外長いシーズン楽しめますが、2月は特に美味しいとされる旬の時期。柔らかくなったら食べ頃です。

2月21日

古着回収ボックス

街を歩いていると、「舊衣回收箱（ジゥイーフイショウシャン）」と書かれた大きなボックスをよく見かけます。これは古着回収ボックスで、誰でも利用できるもの。設置しているのは市に申請し審査が通った社会福祉団体で、回収された衣服は団体によって寄付されたり、古着業者やバザーにて販売し、その売り上げを福祉に役立てるため使用されたりなど、社会的支援と資源回収の両方で活用されます。台北市の場合は、政府環境保護局によると、2022年時点で登録しているのは48団体、ボックス設置数は台北市に1100以上。2021年は2316tもの古着がリサイクルされ、1709万元もの収益があったそうです。ボックスのイラストに描かれている、清潔なトップス、ボトムス、上着類、女性用下着、マフラー、手袋、ニット帽が回収対象。ぬいぐるみ、靴、バッグはNG。引っ越しや帰国の際に利用している日本人在住者も多いです。

2月22日

フルーツたっぷり水果茶（シュィゴウチャ）

カフェでよく見かけるメニューの水果茶。水果（シュィゴウ）はフルーツのことなので、水果茶はフルーツティー。台湾で水果茶と名のつくメニューのほとんどは、フレーバーティーではなく、本物のフルーツがゴロゴロ入っているのがスタンダード。アイスとホット、両方のメニューが存在します。ドリンクスタンドで扱っているお店も多く、例えば、看板商品が水果茶のドリンクスタンド「一芳（イーファン）」の水果茶はカップの中にりんご、オレンジ、レモン、パッションフルーツなどがたっぷり。ドリンクを飲み終わった後、このフルーツを食べるところまでが水果茶の楽しみ方。寒い時期もまた、ビタミンCもたっぷりの水果茶は風邪予防にも効果的。カフェならポットで提供されることが多く、オレンジジュースをベースした酸味強めの風味が効きそうな感じ。とてもリッチな本物のフルーツティーです。

23 | 二月

2月23日

ほかほかの水餃子に満たされる

台湾で生活し、食べる機会が圧倒的に増えたのが水餃子。縁起のいい食べ物 →314/365 ということもそれまで知りませんでしたが、食堂や屋台、そしてチェーン店など、水餃子を提供する店がとにかく多いことにも驚きました。さらには冷凍水餃子もスーパーに行けば種類豊富に販売しています。朝はさすがに営業しているお店は少ないですが、屋台に行けば深夜まで、ひとりでも利用しやすいお店ばかりなのでほぼファストフード感覚で利用します。ほとんどのお店が作り置きせず、注文してから茹でたてを提供してくれるので、ひと口頬張ればお腹がほんわか暖かくなり、気持ちもどこか落ち着きます。1皿は大体8～10個ほど。主食として食べるので、これとスープでお腹はいっぱいに。よくその場で包んでいるのですが、そのテクニックを伝授してほしいといつもうっとりしながら眺めています。

2月24日

元宵節（ユェンシャオジエ）と平渓（ピンシー）のランタン上げ

旧暦1月15日は春節後はじめて満月を迎える日。「元宵節」とよばれ、この日で楽しかったお正月もいよいよフィナーレ。名残惜しい気持ちで、元宵節のイベントを楽しみます。風習のひとつが家庭で円満を願いながら丸いお団子「元宵（ユェンシャオ）」を食べること。「湯圓（タンユェン）」→266/365と似ていますが、元宵は餅粉を広げたザルで転がすように作っていくのが特徴です。2つめはランタンフェスティバル→325/365もそうですが、燈籠（ダンロン）（ランタン）を飾ること。灯りをともすことで、厄払いと吉祥を祈ります。そして、ビッグイベントは平渓で行われる「平渓天燈節（ピンシーテェンダンジエ）」。空高く舞い上がるランタン「天燈（テェンダン）」を一斉に飛ばすランタン上げのイベントです。無料で参加できることもあり、会場は相当混雑しますが、夜空に打ち上がる幻想的な美しさは息を呑むほど。この時期に台湾を訪れるのなら、見どころの多い元宵節に合わせるのもおすすめです。

2月25日

台湾国際芸術フェスティバル

台湾では春節明けの2月から5月頃まで舞台芸術のローシーズンと言われています。そのようなことから、2009年よりこの時期に舞台芸術の祭典と言われる「台湾国際芸術フェスティバル（TIFA, Taiwan International Festival of Arts ）」が開催されるようになり、台湾各地で数々の舞台作品を楽しむことができます。会場となるのは中正紀念堂 →156/365 の敷地内にある、豪華絢爛な音楽ホール「國家音樂廳（グォジャインユエティン）」と劇場「國家戲劇院（グォジャシージュユエン）」、台中のオペラハウス「臺中國家歌劇院（タイチョングォジャグージュユエン）」、高雄の「衛武營國家藝術文化中心（ウェイウーイングォジャイーシュウェンホァチョンシン）」と台湾が誇る素晴らしい施設ばかり。世界の現代作品に特化したラインナップは注目度も高く、日本からもこれまで蜷川幸雄氏、野田秀樹氏、三谷幸喜氏らの舞台作品が招待され、話題を集めてきました。人気作品はチケットも争奪戦ですが、特に日本の作品であれば、言葉の問題もなく楽しめるので、タイミングが合えば足を運びたいと思っている楽しみのひとつです。

2月26日

客家の街・北埔（ベイプー）へ

台湾に暮らす客家の人口は全体の約20%。桃園や新竹、苗栗をはじめとした北部や高雄と屏東の山間部などに集落があり、「台三線」という台北から屏東を繋ぐ436.8kmにおよぶルートを辿っていくと客家の人々が暮らす16の集落を巡ることができます。新竹にある北埔は、高鉄新竹駅から観光バス「台湾好行（タイワンハオシン）」が運行しているのでアクセスもしやすく、いつも多くの観光客で賑わう街。古い建物が続く、のどかな老街周辺を歩いていると、客家の街ならではの食材や調味料を見かけます。豆や雑穀をすり潰し、お湯を注いでお茶にする「擂茶（レイチャ）」が有名で茶芸館で行う体験DIYは人気のアクティビティ。ほかにも、東方美人茶や干し柿、米粉麺の粄條（バンテャオ）や切り干し大根入り草餅、餅菓子の麻糬（マーシュ）なども北埔の特産品や客家の名物。訪れるだけでその文化を感じることができますが、ここへはお腹を空かせて行くのが正解です。

2月27日

台湾で習い事をしてみたい

言葉ができるようになったらやってみたいと思っていたのが習い事。実際に受講したのは単発の台湾料理教室くらいでしたが、それでも現地で学ぶ料理は食材や日本にはない調味料の使い方などがわかり、とても勉強になりました。料理教室もお洒落な教室が増えていて、台湾人にはお菓子やパン、イタリアンなどが人気。語学を学んでいた中国文化大学の語学センターでは一般向けのカルチャー教室も開講していて、授業が終わった後に構内を歩いていると、語学レッスンのほかにも調理室では台湾人向けの料理レッスンや、二胡レッスンなども行われていて、いつも興味深く眺めていました。友人たちも語学のほか、太極拳やヨガ、台湾茶など、仕事終わりや週末に通っている人も多く、分野は様々。調べれば調べるほど面白そうなレッスンが開講されていて、好奇心がどんどん湧いてきます。

2月28日

二二八事件と和平記念日

台湾の歴史の中でも悲しく、忘れてはならないとされる二二八事件。日本の敗戦後、統治時代が終わり、台湾の人々は大陸からやってきた国民党政府に期待を寄せていました。しかし、現実は差別や政治腐敗など生活がよりよくなるどころか、不満が募る一方。そんな最中、1947年2月27日に台北で闇たばこを売る女性に対し、専売局が暴力を働いたことをきっかけに翌28日、民衆による暴動が勃発。衝突は台湾全土に広がり、最終的には武力制圧により、罪なき多くの人々が犠牲となり命を落とすことになりました。その後、戒厳令が敷かれ、二二八事件のことを語ることはタブーとされてきましたが、台湾民主化実現後、事件の真相追及と総統による謝罪などが行われ、1995年にこの日が和平記念日と定められ、平和を祈る日とされたのです。総統府近くにある二二八和平公園には、追悼のための記念碑や、台北二二八国家記念館などもあり、事件の歴史を知ることができます。

3月1日

台湾の桜

台湾も桜の花が咲きます。台北の陽明山や台中の武陵農場、嘉義の阿里山など、各地に桜の名所と言われるような場所もあり、日本統治時代に日本人が持ち込んだという吉野桜をはじめ、八重桜、昭和桜、山桜花、牡丹花、寒桜など観賞できる桜の種類も様々。早いものだと1月下旬から、大体2～3月頃がシーズンです。気候もこの頃は日本の桜の季節と同じくらいと考えてもいいかもしれません。WEBサイトなどでも桜のシーズンが近づくと、「おすすめスポット10選」のような特集が組まれたりするのは日本と同じですが、桜の下で宴会をする文化はさすがにありません。名所は山の上や郊外が多いので、散策しながら写真を撮影し、近隣で美味しいものを食べて帰るというのが主流の楽しみ方。街にも桜並木のようなものはありませんが、さりげなく咲いている時があり、ふと台湾の春を感じる瞬間です。

3月2日

台湾茶を楽しむために揃えたい道具

台湾において、やはり台湾茶は身近な存在。美味しい茶葉に出会うと欲しくなり、いただくことも多いので、いつしか常にストックがある状態です。道具は陶磁器の街「鶯歌（インガー）」→243/365 で買いそろえたリーズナブルなものを愛用しています。

はじめに買ったのは、お茶を淹れるための茶器「蓋椀」と「茶壺」。茶壺は１人用の小さなものを選びました。それから「茶濾し」と抽出したお茶を移すピッチャー「茶海」。お茶を飲む小さな「茶杯」は必需品ですが、香りを楽しむための「聞香杯」、それらをのせる「茶托」もあるとより楽しめます。そのほか、茶壺にお湯を注ぐときにのせる木製の「茶盤」や茶葉の状態を見るための「茶荷」、茶葉をすくう「茶則」や「茶さじ」、お湯で温めた茶器を持つための「茶挟」、茶壺の先に茶葉が詰まった時に使用する「茶針」なども鶯歌で竹製の手頃なものを購入しました。どれも買ってよかった愛用品です。

3月3日

美味しい台湾茶の淹れ方

台湾茶は茶葉が丸まった凍頂烏龍茶や高山烏龍茶、焙煎が強めの木柵鉄観音、緑茶のような文山包種茶や紅茶のような東方美人茶など、茶葉の形状もお茶の色も味わいも様々。それぞれにベストなお湯の温度や抽出時間があるため、購入する時に確認しておくのがおすすめです。わからない時は、お湯の温度は一般的に 90 〜 95℃くらい、東方美人茶は 85℃くらいと言われているのでそのあたりを目安に、抽出時間は茶葉の開き方で調整しています。台湾茶は 1 回の茶葉で 6 〜 8 煎まで味わえるので、煎を重ねながら味の変化を楽しみます。道具を出すのが面倒な時は、マグにそのまま茶葉を入れて飲むこともあれば、最近は生活百貨で購入した万能茶器「飄逸杯（ピャオイーベイ）」を愛用しています。上がストッパー付きの茶漉し、下がガラスサーバーになっていて、茶漉し横のボタンを押すと、お茶だけが下に落ちる仕組み。気軽に美味しく淹れられます。

3月4日

台北ファッションウィーク

年々盛り上がりを見せている「台北ファッションウィーク」は台湾の文部科学省にあたる文化部などが主催する国内最大級のファッションイベント。2018年にスタートし、2020年からは年2回、3月に秋冬、10月に春夏コレクションを開催。台湾カルチャーの発信地「松山文創園区」→187/365 をメイン会場に、期間中は台湾のブランドのランウェイショーやセレクトショップの開設、そして商談などが行われます。2022年3月に開催された2022AWでは「サスティナビリティ」をテーマに世界から注目を集める台湾の繊維メーカーとコラボし、リサイクル素材などを使用した持続可能な台湾ファッションを提案。文化部ではこの台北ファッションウィークを東京、ソウル、上海に次ぐ、アジアを代表するファッションウィークとすることを目標としているため、ショーも最新テクノロジーを駆使するなどかなりの見ごたえ。台湾発のファッションもこの先注目です。

3月5日

驚蟄とエリンギ料理

3月5日頃は二十四節気の驚蟄。この日は虎の姿をした財運の神様「虎爺（フーヤー）」にお参りするといい日とされています。虫たちが土から出てくる季節、寒さはだいぶ和らぎますが、天気はやや不安定。朝晩の気温差も激しいので、夜などはまだ薄手の上着を持っていた方が安心です。アレルギーなども起きやすく、身体に湿気もたまりやすい時期。養生では免疫力を高め、排出作用のあるキャベツやアスパラ、カリフラワーなど、甘くてあっさりした風味の野菜や、ビタミンやたんぱく質が多いきのこ類、中でも「杏鮑菇（シンバオグー）」と呼ばれるエリンギなどがいいとされます。エリンギ料理で思い出すのが、雲南料理の名店「人和園（レンフーユェン）」でいただく、干しエリンギの炒め物「干扁香菇（ガンビェンシャングー）」。細く裂いたエリンギの味付けと食感が絶妙で、手間がかかっているのがよくわかる一品。看板メニューのグリーンピースのスープとともに、行くと必ず注文するお気に入りです。

3月6日

昔ながらの素朴なおやつ

日本でも「台湾カステラ」の名前はすっかり定着しましたが台湾では「現烤蛋糕」（焼きたてケーキ）や「古早味蛋糕」（昔ながらのケーキ）と呼ばれています。蛋糕はケーキのこと。日本のカステラのように大きな鉄板でどかんと焼き、できたてをその場でカットし販売しています。薄力粉、泡立てた卵白と卵黄、牛乳、砂糖のみとシンプルな素材で作る優しい味で、ぷるぷるとした焼きたてを見ると買わずにはいられません。同じ蛋糕でも、それよりもお手軽なのが「鷄蛋糕」。こちらはプレーンの人形焼きといった感じで、夜市など、主に路上で様々な形の鷄蛋糕が売られています。昔ながらのおやつですが、個性的な形が登場するたびに話題に。これまでで一番インパクトがあったのは台中逢甲夜市の屋台で出会ったリアルな鶏の丸焼きモチーフ。その自由さには思わず笑ってしまいました。

7 | 三月

3月7日

永康街(ヨンカンジエ)をぶらぶら

台北でぶらぶらするのにちょうどいいのが永康街。鼎泰豐(ディンタイフォン)の本店があることでも有名なエリアです。MRT 東門駅 5 番出口を出るとすぐに鼎泰豐があり、その手前のストリートが永康街。鼎泰豐前の信義路からは台北 101 も見えるのですが、ここから眺める 101 も好きな景色のひとつです。通りには台湾グルメを中心とした路面店が続き、途中小さな公園などもあるので、街全体が明るい雰囲気。そのまままっすぐ突き進むと師範大学のキャンパスに到着します。台湾コスメや台湾茶のお店は品質のいい有名店も多いので、お土産を買うのにも安心感があるのもこの街をおすすめする理由。二吉軒豆乳(アールジーシェンドウルー)や白水豆花(バイシュイドウホァ)など美味しい豆花のお店がいくつかあるので、どちらかでおやつ休憩するのもお決まりのコースです。永康街からほかの通りに抜ける路地もどこかおしゃれで、住宅にまぎれ、カフェや雑貨店などいい雰囲気のお店が点在しています。

8 | 三月

3月8日

淡水の楽しみ方

台湾のベニスと呼ばれる淡水は夕陽が綺麗な水辺のスポット。MRT 淡水信義線に乗車すれば台北駅から38分で到着と、乗り換えなしで気軽に訪れることができるのも魅力です。水辺を散歩するだけではなく、日本語の「揚げ」が由来で、厚揚げの中に春雨を入れて煮込んだ「阿給（アーゲイ）」などのグルメが楽しめる老街や、かつてスペイン人によって建設され、現在は国家遺跡にも指定されている「紅毛城（ホンマオチャン）」など異国情緒と台湾の歴史の感じられるスポットや淡江大学などもあるので、連日多くの人で賑わう場所です。日本でもすっかり定着した台湾カステラ「古早味蛋糕（グーザオウェイダンガオ）」→340/365 も淡水には有名店があるのでお土産に購入するのもいいですね。私は、休日は混雑しているので、時間ができた平日にふらっと訪れ、淡水河沿いをずっと進んだ先の「滬尾漁港（フーウェイユーガン）」にある、港が見えるカフェでのんびりと過ごすのがお気に入りの時間です。

3月9日

水上バスに乗り八里(バーリー)左岸へ

淡水の対岸は「八里」という港町。MRT 淡水駅から徒歩 8 分ほどの場所にある、淡水埠頭から水上バスの「藍色公路（ブルーライン）」に乗車すれば、八里までは片道 34 元、10 分ほどで到着します。IC カード悠遊卡も使用でき、平日は 10 ～ 15 分おき、休日は 3 ～ 5 分おきに出発しているので、気軽に水上の旅を味わえます。八里は淡水をコンパクトにしたのどかなリゾートといった雰囲気で、サイクリングロードや淡水河を望める広々としたレストランなどデートスポットとしても訪れる人が多い場所。ガイドブックでも紹介されることは少ないため、穴場感もあります。また八里はかつて原住民族の漁村集落でもありました。国定遺跡にも指定され、原住民族の暮らしや、この地にある十三行遺跡から発掘された出土品を紹介する考古博物館の「十三行博物館(シーサンシンボーウーグァン)」は台湾建築賞も受賞するなど建築デザインも見どころ。あわせて訪れたい場所です。

3月10日

金運の神様・土地公（トゥディゴン）の誕生日

旧暦2月2日は台湾で信仰している人も多い土地の神様「土地公」（福徳正神（フードゥチェンシェン））の誕生日です。土地公への拜拜は毎月2日と16日に行う「作牙（ズオヤー）」→124/365 がありますが、この日は「頭牙（ドウヤー）」といい、新年はじめて行う拜拜の日。通常の作牙よりも盛大に行い、その年の平安と商売繁盛を祈ります。土地公のパワースポットといえば、新北市中和区にある「烘爐地南山福徳宮（ホンルーディナンシャンフーダーゴン）」。標高300mの南勢角山（ナンシージャオ）の上にある見晴らしのいい場所で、台北市内を見下ろせる夜景の名所でもあります。24時間参拝できるので、夜間の参拝客が多いのも特徴。財神殿と本殿に分かれた大きな廟（びょう）で財神殿の上には高さ30mもある巨大な土地公の像が。まるでテーマパークのようですが、廟内は台湾の廟らしい煌びやかさ。いるだけで運気が上がりそうな気が流れています。土地公のほかにもありがたい神様が勢揃い。財運を招く橋などもあり、商売人たちが次々と訪れる場所なのです。

3月11日

日本人留学生が行う淡水イベント

東日本大震災の際に200億円もの義援金を贈ってくれた台湾。そこから台湾と日本の距離はぐっと近づき、友達のような関係になったと感じています。実際、私もこの震災後に湧き上がった「ありがとう台湾」ブームでより台湾に興味を持ち、女性誌の特集に背中を押され、初海外・ひとり旅の旅先に選んだのがいまに至るきっかけです。その時に感じた楽しさ、居心地の良さ、好奇心はいまもなくなることはありません。その後、日本人の友人に誘われ、2012年より毎年3月に淡水で行われている“謝謝台湾「日台・心の絆」”のイベントを訪れました。このイベントは日本人留学生が主体で行っているもので、目的は台湾へ感謝を届け、被災地の現状を伝え、日本と台湾の「心の絆」を形にすること。浴衣体験や折り鶴作成は毎年人気で、2023年には12回目を迎えました。淡水には記念碑も設置され、現地で生活する日本人学生が心を込め継続しているイベントです。

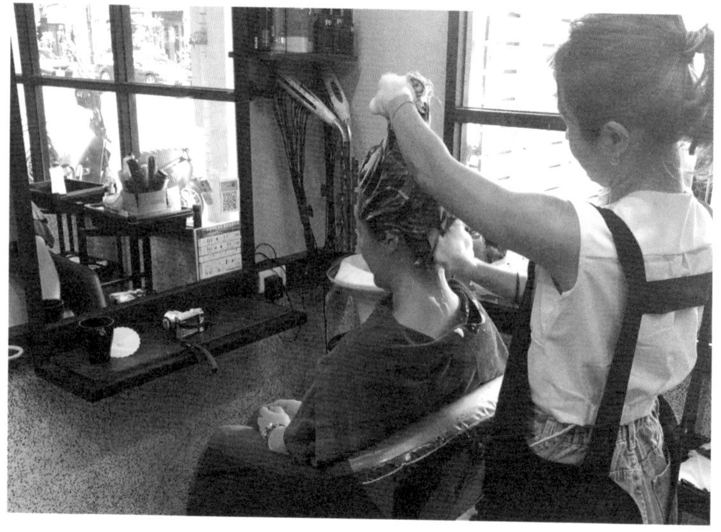

3月12日

台湾式シャンプー

「洗髪（シーファ）」というのはシャンプーのこと。台湾も日本と同じくらい美容室が点在していますが、どこも入口には洗髪の文字を見かけます。価格はローカルなお店であれば200～300元、観光客向けだと500元くらい。椅子に座ったままシャンプーするのが台湾式で、器用にもこもこと泡を作り、頭のツボや頭皮も丁寧にマッサージ。観光客の場合は、最後にちょっとエンタメ要素を取り入れて、髪の毛を持ち上げタワーやソフトクリーム、リボンなどの形にしてくれるのがお約束。美容師さんとわいわい盛り上がり、結構楽しい時間を過ごせます。肩と首のマッサージも入り、最後にはしっかりブローしてくれるので、お出かけ前にさっとシャンプーしてリフレッシュするのもあり。台湾マダムは家でシャンプーせず、近所の美容室でという人も少なくなく、友人も行きつけのお店にマイシャンプーを置いてあるそう。そんな生活も密かな憧れです。

3月13日

アートな変電箱

密かな街中アートとして注目しているのが、台湾電力の変電箱（路上変圧器）。手描きの風景画が多く、すごく上手いわけでもないのですが、どこかほっこりする愛おしさ。同じものがひとつもないという統一感のなさもポイントです。カーキ１色のシンプルな箱もありますが、よく見かけるのは水色ベースにお花や水辺の風景、木々などが描かれたもの。変わりダネのお気に入りは台北駅からも近い台北国際芸術村の向かいにあるパンダが描かれた変電箱。地方へ行くとまた一段と自由度が高くなるので、変電箱アートに注目してから街歩きの楽しみが増えました。そんな変電箱ですが、台湾電力が2019年に立ち上げた生活雑貨のブランド「台電文創」では使われなくなった変電箱をアップサイクルし、お洒落な鍋敷きや小物入れ、ピンバッジなどに生まれ変わるというプロジェクトが。まさかあの変電箱がと驚きましたが、ファンとして応援したい取り組みです。

3月14日

台湾で巡る伊東豊雄建築

台湾には伊東豊雄氏が設計した建築物が数多く存在します。2009年に龍をイメージしたスタジアム「高雄国家体育場」、2011年に台北101に隣接する「台北世界貿易センター広場」、2014年は「台湾大学社会科学部棟」と松山文創園区→187/365内にある「松山台北文創ビル」、そして2016年は“世界の9大新ランドマーク”にも選ばれた台中のオペラハウス「台中国家歌劇院」が完成し、そのどれもが台湾が誇る大型施設です。オペラハウスの音の洞窟をコンセプトに曲線を多用したデザインは建築も困難で、完成までの歳月は約6年。それだけ独創的な空間です。館内は自由に見学でき、お土産品のセレクトショップやカフェ、レストランなどもあるので、洗練された台湾らしさも味わえます。「台湾大学社会科学部棟」も棟内にある図書館はパスポートがあれば外国人でも無料で利用が可能。学生たちの日常に交ざりながら本のページをめくるのも至福のひとときです。

3月15日

名前は3回まで変えられる

数年前、日系の回転すしチェーンがサーモンの中国語「鮭魚(グイユー)」と同じ名前であればグループの食事を無料にするというキャンペーンを行い、実際に改名を行う人が続出というニュースが話題になりました。なぜカジュアルにそんなことができてしまうかというと、台湾の法律では3回まで戸籍上の名前の変更が可能。役所に行くとその日のうちに改名できてしまうのです。実際、私の友人も過去に名前を変えたことはあるそうで、学校のクラスメイトに同姓同名が3人もいたことから、改名を決めたそう。確かに台湾は同じ名字が多いので→17/365、縁起のいい名前などは被る確率も高いそう。友人は親戚の占い師さんに姓名判断でいい名前の候補をいくつか挙げてもらい、そこから自分の気に入った名前を選んだとのこと。3回も変えられるのは驚きですが、もし自分ならと考えてしまうとともに、鮭魚さんたちのその後も気になります。

3月16日

台湾最大級の音楽フェス・大港開唱（ダーガンカイチャン）

メジャー、インディーズ問わずミュージックシーンが熱い台湾。日本との交流も盛んで、その才能と歌声に魅了される日本のファンも急増しています。台湾でも年間通して音楽を楽しむフェスなどのイベントが各地で開催されていますが、中でも台湾最大級の野外フェスが毎年3月または4月に高雄で2日間にわたって開催される「大港開唱 Megaport Festival」。出演者はインディーズを中心に毎年大物も複数参戦。そのコラボなども注目を集めています。会場はベイエリアにあるアートスポットの高雄駁二芸術特区（ガオションボーアール）。隣接する高雄ミュージックセンター前にもステージが設置され、ロケーションは最高。夜は煌びやかなライトアップとともに、このエリア一帯が熱気に包まれます。2006年にスタートし、いまやチケットは即完売。2日間で延べ10万人以上が訪れます。大港開唱のコピーは「人生的音樂祭（人生のフェス）」。音楽好きにはたまらない2日間です。

3月17日

竹子湖カラーフェスティバル

「乙女のしとやかさ」や「清浄」という花言葉を持つ「カラー」。凛とした真っ白い花は結婚式のブーケでも花嫁の美しさを引き立てます。日本名でも「海芋（かいう）」と呼ばれますが、中国語でも漢字は同じ。「ハイユー」と発音します。桜の名所でもある陽明山→335/365の竹子湖では湿地によるカラー栽培が行われていて、この時期が最盛期。カラーの海が広がっています。毎年3月中旬から4月中旬頃は「竹子湖カラーフェスティバル」が開催され、専用バスが運行になるなど、多くの観光客が訪れます。エリア一帯にカラー農家が点在し、それぞれ有料でカラー摘み体験や切り花の販売もしているのですが、大体6～8本で100元ほど。格安でカラーの花束が入手できてしまうのです。山の上は天候により霧がかかっていることも多いのですが、それもまた幻想的で、楽しみにしているイベントです。

18 三月

3月18日

味わいのあるセカンドラン映画館

シネコンなども多く、映画館が充実している台湾ですが→78/365、その勢いに負けず、今後も残ってほしいと思っているものに「二輪戲院（アールルンシーユエン）」というセカンドラン映画を上映する映画館があります。台湾各地に数軒ずつあり、封切映画の約半額で準新作映画を2本立てで鑑賞することができます。映画館によっては出入り自由でいくつかあるホールの映画をすべて鑑賞できるので、1日中大きなスクリーンで映画三昧という過ごし方も。どの映画館も趣があり、ノスタルジックな雰囲気に浸れるところがまたいいのです。中でも台南にある全美戲院（チェンメイシーユエン）はいまでも手描きの大看板が使われていることでも有名な二輪戲院。この道50年の顔振發（イェンチェンファ）さんが描く看板はまさに職人の仕事そのもの。二輪戲院とともに残ってほしい文化です。映画館の向かい側にある路上がアトリエで、顔さんはいつも午前中にお仕事しているのだとか。シネコンでは味わえない風情がここにはあります。

3月19日

台湾式おにぎり飯糰(ファントァン)

　コンビニへ行けば日本のような三角おにぎりが売られていますが、台湾の伝統的なおにぎりといえば、もち米おにぎり「飯糰」。サイズはコンビニおにぎりの2倍はありそうな俵型で、ベーシックな具材は肉鬆(ロウソン)、油條(ヨウテャオ)、菜脯(ツァイプー)、高菜、卵など。これらを入れたものをその場で握ってもらいます。観光で来ていた頃はとにかくカロリーが高そうだし、すべての具材が謎。なにより注文の仕方もわからないので、これは遠慮しておこうとスルーしていましたが、段々と台湾の食材に馴染んできたタイミングでようやく食べてみると、それはもう美味しくて、この映えない茶色い具材の組み合わせがとにかく最高。カロリーはやはり気になりますが、お店の近くを通ると買わずにはいられません。よく行くのは台北駅前にある「飯糰霸(ファントァンバー)」。ほぼすべての具材が入る「招牌總匯飯糰(ザオパイゾンフイファントァン)」が絶品です。

3月20日

台湾の春分

3月20日頃は二十四節気の春分です。日本では新年度や新学期に向け、どこかそわそわとした雰囲気がありますが、台湾の学校は6月卒業で9月入学。会社もまた、年度は1～12月というところが多いので、卒業旅行の日本人などを見かけることは多くなりますが、街も人も通常通りといった様子です。若干肌寒い日もありますが、気温は25℃前後。街歩きをしていてもほどよく風もあり、汗だくにならずに済むので旅行にもおすすめの季節です。中医では驚蟄 →339/365 と同じように、デトックス効果のある春野菜などを食べ、気の巡りをよくし、肝を養う「養肝」を意識するといいそう。縁起を担いでこの日に揚げ春巻きや生春巻きを食べる人もいますが、その際には1本丸ごといただきます。また、春分は端午節 →83/365 にも行われる、卵立てチャレンジ「立蛋(リーダン)」が成功しやすいそう。卵が立つと幸運が訪れるそうですよ。

21 | 三月

3月21日

血液型よりも星座

日本では日常会話として、相手の血液型を聞くことが多いと思うのですが、台湾では血液型よりも星座で性格や相性を把握している人が多く、日本人の「何型？」から繰り広げられる会話が「何座？」から行われているようなイメージです。私は毎週オンラインで公開される星占いを楽しみにしているタイプですが、台湾でもそれは同じ。占い師で現在圧倒的人気を誇っているのが、YouTubeで毎週の星占いを公開しているジェシー・タン（唐綺陽〔タンチーヤン〕）さん。メディアへの出演も多く、駅構内では彼女のCMも流れているほど。過去のものですがネット上には、衛生福利部による星座別死亡率のデータや、立法院議員の星座別割合などという記事もあり、さすがに驚いてしまいました。そのほか、台湾人はO型が一番多いというデータもあり、それを見てなるほど（だから台湾人は大らかな人が多いのかな）と咄嗟に思ったのは、日本人的分析なのかもしれませんね。

3月22日

台南成功大学のガジュマルの樹

台南にある国立成功大学はトップレベルの名門校。日本統治時代の1931年に台南高等工業学校として創立し、1971年に国立成功大学へと改称、現在は9つの学部からなる総合大学。語学センターもあるので、成功大学で中国語を学ぶこともできます。そしてなんといっても成功大学はキャンパスが素敵。緑が多く、台湾大学→196/365と同じように日本統治時代の建物が現在も使用されています。キャンパス内にはガジュマルガーデンがあり、手入れされた芝生の中央には生命力が伝わってくるような、シンボルとしての存在感を放つ、巨大なガジュマルの樹がそびえ立っています。これは、当時皇太子だった昭和天皇が植樹されたもので、大切にされてきたことがひと目でよくわかります。台南駅からも近く、構内は誰でも入ることができるので、ガジュマルガーデンは市民や学生たちの憩いの場のようになっています。

3月23日

台湾の文学カルチャー

いま台湾の文学カルチャーは盛り上がりを見せていて、クオリティーの高い作品は日本で翻訳出版されることも増えてきました。特に漫画は政府の文化部がかなり力を注いでいて、2019年には台北駅裏商圏の華陰街 →264/365 に台湾漫画の博物館「台湾漫画基地」をオープン。カフェが併設された1階には台湾で出版された作品が並び、2階は展示ホール、3階は会員専用の創作スペースとなっていて、クリエーターをバックアップしています。書店や図書館へ行くとそんな台湾作品の盛り上がりも感じることができますが、日本の書籍や漫画の翻訳本もかなりの数が出版されていて、文学やエッセイ、料理本など分野も様々。先日は友人の短歌本の台湾版も発見し、日本カルチャーの根強い人気を感じることができます。好きな作品のオリジナルと翻訳版を手に入れると、教科書以外の言葉を学べるので、語学学習のツールとしてもおすすめです。

台北のサイクリングロード

シェアサイクルのYouBike →11/365 は、台湾が誇る自転車ブランド「GIANT」の製品を使用しているので乗り心地は抜群です。台湾ではサイクリングコースも充実していて、台湾1周ができるコースもありますが、特に台北では、基隆河や淡水河など河沿いの道が整備され、サイクリングロードになっているので、車を気にせずサイクリングを楽しめます。基隆河沿いのコースは南港、松山、圓山、淡水方面の關渡(グァンドゥ)を結んでいて、台北101や台北松山空港から離発着する飛行機、圓山大飯店などを眺めることができます。淡水河沿いのサイクリングロードは龍山寺、西門、北門、迪化街そばの大稲埕埠頭など、歴史ある文化古跡の多い、西部エリアと淡水までを結んでいるなど、コースごとにしっかりと見どころも。特にこの時期は気候もちょうどいいので、ペダルを漕ぐ足も軽くなり、どこまでも行けそうな気分にさせられます。

3月25日

台湾の離島

台湾には澎湖（ポンフー）、金門（ジンメン）、馬祖（マーズー）、緑島（リュダオ）、蘭嶼（ランユー）、亀山島（グイシャンダオ）、小琉球（シャオリュウチュウ）という7つの離島があります。実はまだ行ったことがないのですが、どの島も台湾から行く小旅行先として人気のスポット。船でしか行けない島もありますが、澎湖、馬祖、金門は台北松山空港から毎日国内線が運航しているので飛行機で行くことができます。しかし、台風のシーズンは運休になることも多いため、欠航になってしまうと戻れない可能性も。沖縄と同じような感覚でしょうか。どの島も興味があるのですが、最初に訪れてみたいのは澎湖（ポンフー）。台北松山空港からは飛行機で約50分。台湾南部にあるリゾートです。人も多く暮らす場所でリゾートホテルや民宿も多いので、不便を感じることはなさそう。大好きなピーナッツ菓子「花生酥（ホアシェンスー）」も澎湖が名産なので、これも作りたてを買ってみたい。ファースト離島として旅がしやすいのではと思っています。

3月26日

心惹かれる北門の風景

かつて台北府城があった台北には、当時の城門が残されています。東門、西門、北門、小南門は駅名にもなっていて、西門だけは取り壊されてしまったため、遺址があるのみですが、それ以外は駅の近くに立派な門が存在しています。ほとんどの門が改修により、外観が当時とは違うのですが、北門だけは1884年に建てられたままの姿で残っている清代建築。正面から見るとどこか人の顔にも見えるのが、妙に愛らしく、ひと目見た時から心惹かれる存在。過去には撤去の計画やすぐ真横に高速道路の高架がかけられるなど、なにかと不遇な扱いでしたが、2017年、都市計画により景観を悪くしていた高架を撤去。現在の北門広場が生まれ、観光名所としての姿を取り戻しました。さらに付近の歴史的建築物もどんどん修復が行われ、新たな施設としてオープンするなど、かつての姿はそのままに見応えのあるエリアへと生まれ変わっています→363/365。

3月27日

台北の暮らしやすさと安心感

台北に住む日本人の友人たちと改めて、この街のいいところについて語り合ったことがあります。まず一番に挙がったのが、街がコンパクトな上に、不便を感じることがほとんどないほどなんでもあるところ。とにかく「暮らしやすい」ということで意見が一致しました。移動がラクなので、仕事をする上でも動きやすく、食事や遊びでもみんなが気軽に集まることができる。終電を逃したとしてもタクシー代がそこまで高額になることもありません。食生活も日系レストランの進出が著しいので、日本食が恋しくなることもなく、むしろ台北にいたほうが日本全国のグルメが食べられるほど。医療も保険料や薬代が安い上に、診察も午後8時や9時など遅くまでやっているので、会社勤めの友人は退勤後に受診できるのがとにかく助かるとのこと。余計な無理や負担をかけずに自分を健やかに保つことができる、そんなバランスのいい生活環境が整っている都市です。

28 | 三月

3月28日

そばに置きたい台湾クラフト

手仕事のぬくもりを感じるクラフト商品。素敵だな、欲しいなと感じるのはナチュラルなものや日常使いできるようなプロダクト。手頃な価格で、すっと生活に取り入れられるのは迪化街で見かけるような竹を使った生活雑貨。スプーンやフォーク、曲げわっぱのお弁当箱、大小様々なセイロも台湾で作られています。少し大きめのバスケットは収納に役立ちます。苗栗（ミャオリー）の藺草で作られた製品もときめく人は多いはず。特に2016年に設立した藺子（リンズ）というブランドは、地域の女性職人たちと協力し、文化継承に力を注いでいるほか、シンプルなデザインの帽子やバッグはセンスを感じられるものばかりです。台東の原住民族の女性たちが編む月桃のカゴも北欧雑貨のようなシンプルな美しさ。小物入れやカゴバッグはそばに置いておくだけで癒される優しく温かな力を感じます。ずっと大切にしたくなる、こうした手仕事を巡る旅もこの先やってみたいことのひとつです。

3月29日

日本統治時代の名建築を巡る

台湾には各地に日本統治時代の建物が数多く残っているので、行く先々で歴史が刻まれた素晴らしい建築様式の建物に出会うことができます。私は台北駅へ行くとその足で西門方面へ向かうことが多いのですが、このエリアには名建築も多く、装飾が施された西洋式建築はいまの時代の建物にはない優雅さです。北門周辺→360/365は都市計画により、旧三井物産倉庫や鉄道局だった建物が改修され、それぞれ文化施設や鉄道博物館に。その向かいにある北門郵便局も美しい建物です。郵便局横はＹ字路になっていて、片側は味わいのあるカメラ街。南へ進むと台湾銀行本店と総統府が並び、すぐ近くの二二八和平公園→334/365には國立台湾博物館、その向かいには旧土地銀行を使用した博物館の別館があるなど、このあたりはかなりの見応え。西門周辺では旧台北公会堂の中山堂やレンガ造りの西門紅樓は必見。館内にはカフェもあるので、ここでひと息つくのもおすすめです。

3月30日

焼きたてが美味しい粉もの朝ごはん

粉もの好きにはたまらない台湾の朝ごはん。私は早起きが苦手なので、いつも着く頃にはお店は行列ができすっかり賑わった様子ですが、どのお店もいつでも作りたてを味わえることに最高の幸せを感じます。細長い揚げパンのような油條（ヨウテャオ）を豆乳に浸しながら食べたり、タンドール窯で焼き上げる、パンとパイの中間のような燒餅（シャオビン）を買ってみたり。これに油條を挟んだサンドというのもあり、炭水化物同士の組み合わせにはじめはとても驚きました。そんな粉もの朝食のお気に入りは中正紀念堂近くにある青島豆漿店（チンダオトウジャンディエン）のパリパリの皮に肉汁たっぷりの肉餡を包んだ肉餅（ロウビン）やMRT麟光（リングァン）駅近くにある和記豆漿店（フージードウジャンディエン）の素朴ながらも味わいのある燒餅。どちらもお店頭でお父さんたちが丁寧に焼き上げている姿を見ることができるのも楽しみのひとつ。とても贅沢な朝時間です。

3月31日

路地に咲くブーゲンビリア

台湾での私の趣味は路地歩き →7/365。台湾の路地にはひっそりとした嫌な感じがないので、ぐんぐん歩いてみたいと思わせるなにかがあります。ここで暮らす人々の生活感を感じながら、バルコニーに置かれた、わさわさと元気いっぱいの観葉植物を眺めたり、個性のある鉄窓花（鐵窗花）ウォッチング →91/365 を楽しんだり。雰囲気のよさそうなカフェを見つけた時にもいちいちテンションが上がります。そんな路地歩きの中で最も好きだと思う光景が、路地に咲くボリューム満点のブーゲンビリア。台湾では「九重葛」と呼ばれていて、鮮やかなピンク色は見ているだけで気持ちが明るくなります。年中見かける花ですが、曇り空や雨ばかりが続いていた短い冬が終わり、春を感じることが多くなる3月後半は、よりこの花の色が映える気がして、何気ない日常のこの光景に一番胸が躍るのです。

コバシ イケ子｜ Ikeko Kobashi
台湾ブロガー＆ WEB マガジン「otona taiwan オトナタイワン」編集長。
2011 年にはじめて台湾を訪れ、懐かしさと新しさが入り混じる独特の雰囲気、南国らしいゆるさとパワフルさ、旅行だけでは食べつくせない美食の数々と薬膳をはじめとした食文化に興味を持ち通い始める。台湾在住時の 2016 年より台湾情報ブログをスタート。約 3 年の台湾生活ののち、現在は札幌在住。著書に『台北ぐるぐるバスの旅 食べまくり！』（小学館）。
Instagram：@taiwanikeko
ブログ「taiwanikeko next」：https://taiwanikeko.officialblog.jp
WEB マガジン「otona taiwan オトナタイワン」：https://otonataiwan.com

写真協力：スターラックス航空、劉芳、陳歌織、廖品淨、神戸美雪、台北白晝之夜、台湾観光局、TOP TAIWAN、台北ファッションウィーク、石田香織、Suzu
旧歴対応サイト：高精度計算サイト『keisan』（ホーム ＞ こよみの計算 ＞ 旧暦・暦注）
https://keisan.casio.jp/exec/system/1189993438
台湾の休日：行政院 HP（首頁 ＞ 民眾 ＞ 辦公日曆表）
https://www.dgpa.gov.tw/informationlist?uid=30

台湾のすこやかで福のある暮らし365日

古からの知恵と祈りに囲まれた慈愛あふれる生活

2024 年 1 月 5 日 初版第 1 刷発行

著　者　コバシ イケ子（Ikeko Kobashi）
撮　影

Special thanks to
取材にご協力いただいた皆さま
TRICOLOR PARIS ／ Mayu Ekuni ／東京散歩ぽ／ Akiko Kusano
Yuko Ishikawa ／ Michi Nagamoto

デザイン　白畠かおり
校　正　浅沼理恵
企画原案　上野　茜
編　集　村上美千代

発行者　石井　悟
発行所　株式会社 自由国民社
〒 171-0033 東京都豊島区高田 3-10-11
電話 03-6233-0781（営業部）
03-6233-0786（編集部）
https://www.jiyu.co.jp/
印刷所　大日本印刷株式会社
製本所　新風製本株式会社